KB199686

목수들아, 대들보를 높이 올려라

RAISE HIGH THE ROOF BEAM, CARPENTERS AND SEYMOUR : AN INTRODUCTION
by J. D. Salinger

Copyright ⓒ 1955, 1959 by J. D. Salinger
Korean Translation Copyright ⓒ MUNHAKDONGNE Publishing Corp., 2004

This Korean translation is published by arrangement with
Harold Ober Associates Incorporated
through Eric Yang Agency, Seoul, Korea.
All Rights Reserved.

이 책의 한국어판 저작권은 에릭양 에이전시를 통해
Harold Ober Associates Incorporated와 독점 계약한 (주)문학동네에 있습니다.
저작권법에 의해 한국 내에서 보호를 받는 저작물이므로
무단 전재 및 무단 복제를 금합니다.

국립중앙도서관 출판시도서목록(CIP)

목수들아, 대들보를 높이 올려라 : J. D. 샐린저 소설 / 제롬 데이비
드 샐린저 지음 ; 정영목 옮김.
— 파주 : 문학동네, 2004
  p. ;   cm
원서명: Raise high the roof beam carpenters and seymour :
an introduction
원저자명: Salinger, Jerome David
ISBN 89-8281-759-X 03840 : ₩10000
843-KDC4
813.54-DDC21   CIP2004001141

일러두기

· 본문 중 †는 원주, ∗는 역주입니다.

· 작가의 요청에 따라, 작가가 직접 쓴 작품 내용 이외에 작가나 작품에 대한 소개는 싣지 않았습니다.

목수들아, 대들보를 높이 올려라

J.D. 샐린저 소설 | 정영목 옮김

Raise High
the Roof Beam,
Carpenters
and
Seymour
an Introduction

문학동네

세상에 아마추어 독자 — 혹은 그저 읽고 달릴 뿐인 그 누군가 — 가 아직도 남아 있다면, 그와 내 아내, 나의 아이들에게 말로 다할 수 없는 애정과 인사를 넷으로 나누어 이 책을 바칩니다.

목수들아,
대들보를 높이 올려라

목수들아, 대들보를 높이 올려라.

키 큰 남자보다 훨씬 더 키가 큰 신랑이 아레스처럼 들어온다.

사랑을 담아,

전(前) 엘리시움 스튜디오 전속 작가 어빙 사포가

이십여 년 전 어느 날 밤, 거대한 우리 가족은 유행성 이하선염의 습격을 받아, 막내 여동생 프래니는 아기용 침대를 비롯하여 모든 소지품과 함께 겉보기에는 병원균이 없어 보이는 방으로 옮겨졌다. 내가 맏형 시모어와 함께 쓰던 방이었다. 나는 열다섯 살이었고, 시모어는 열일곱 살이었다. 새벽 두시쯤, 나는 새로운 동거인의 울음소리에 잠을 깼다. 몇 분 동안 어정쩡한 자세로 꼼짝도 않고 가만히 누워 그 시끄러운 소리에 귀를 기울이고만 있었다. 마침내 옆 침대에 누워 있던 시모어가 움직이는 소리가 들렸다. 아니, 움직임이 느껴졌다. 그 무렵 우리는 두 침대 사이의 탁자에 손전등을 비치해두었다. 긴급 사태에 대비해서였지만, 내 기억으로 그런 사태는 한 번도 일어난 적이 없다. 시모어는 손전

등을 꺼내 불을 켜고는 침대에서 나왔다.

"우윳병은 스토브 위에 있대. 어머니가 그랬어."

나는 시모어에게 말했다.

"조금 전에 내가 줬는걸. 배가 고픈 게 아니야."

시모어가 대꾸했다.

시모어는 어둠 속에서 책장으로 가더니, 손전등으로 책들을 천천히 비추었다. 나는 침대에 일어나 앉았다.

"뭘 하려는 거야?"

내가 물었다.

"프래니한테 뭘 좀 읽어줄까 해서."

시모어는 그렇게 대꾸하더니 책을 한 권 꺼냈다.

"참 나, 이제 십 개월 된 아기한테."

"나도 알아. 그래도 귀는 있잖아. 들을 수 있다고."

그날 밤 시모어가 손전등을 비추어가며 프래니에게 읽어준 이야기는 시모어가 제일 좋아하는, 도교와 관련된 이야기였다. 지금까지도 프래니는 시모어가 자기한테 그 이야기를 읽어준 게 기억난다고 우긴다.

진(秦)나라의 목공(穆公)이 백락(伯樂)에게 물었다.

"그대는 이제 나이가 많이 들었소. 그대의 가족 가운데 그대

대신 말을 찾는 일을 맡을 만한 사람이 있소?"

그러자 백락이 대답했다.

"좋은 말은 전체 뼈대와 생김새를 보면 알 수 있습니다. 그러나 최고의 말, 먼지도 일으키지 않고 자취도 남기지 않는 말은 금세 사라져버리기 때문에 바람과 마찬가지로 붙들기가 어렵습니다. 제 자식들은 하나같이 재주가 너무 부족합니다. 그 아이들은 좋은 말을 보면 알아보지만 최고의 말을 구별해내지는 못합니다. 하지만 신에게 구방고(九方皐)라는 친구가 있는데, 그는 땔감과 야채를 파는 행상이지만 말과 관련된 문제에서는 결코 신에게 뒤지지 않습니다. 한번 만나보시기 바랍니다."

목공은 구방고를 만난 뒤, 그를 보내 말을 찾아오게 하였다. 석 달 뒤 구방고가 돌아와서 말을 찾았다는 소식을 전했다.

"말은 지금 사구(沙丘)에 있습니다."

목공이 물었다.

"그것이 어떤 말인가?"

구방고가 대답했다.

"갈색 암말입니다."

그러나 말을 가져오라고 사람을 보냈더니, 그 사람은 말이 석탄처럼 새까만 종마라고 했다! 목공은 몹시 불쾌하여 백락을 불렀다.

"그대의 친구라는 자에게 말을 찾게 하였더니 엄청난 실수를 저질렀소. 어찌 된 것이, 그자는 짐승의 색깔과 암수조차 구별하지 못하고 있소! 대체 그자가 말에 대해 무엇을 안단 말이오?"

그러자 백락은 커다랗게 안도의 숨을 내쉬고는 소리쳤다.

"그 친구가 거기까지 이르렀습니까? 그렇다면 그 친구는 신 같은 사람을 만 명 합친 것만한 능력을 갖춘 셈입니다. 구방고가 보는 것은 정신적인 구조입니다. 그는 본질적인 것을 확인하느라 보잘것없는 세세한 것들은 잊어버립니다. 내적인 자질을 보는 데 몰두하느라, 외적인 것은 보지 못하는 것이지요. 그는 자기가 보고 싶은 것은 보고, 보고 싶지 않은 것은 보지 않습니다. 그는 보아야 할 것만 보고, 볼 필요가 없는 것은 무시합니다. 말을 판단하는 재주가 워낙 뛰어나다 보니, 말 이상의 것을 판단하는 힘까지 지니게 된 것입니다."

말이 도착했을 때 보니, 과연 뛰어난 명마라는 것을 알 수 있었다.

이 이야기를 여기에 다시 적은 까닭은 내가 이번에도 어김없이 옆길로 새서, 십 개월 된 아기의 부모나 오빠들에게 아이를 진정시킬 만한 좋은 산문을 권하고 싶은 마음이 생겨서가 아니다. 그것과 전혀 다른 이유 때문이다. 이제 곧 1942년의 어느 결혼식 날 이야기가 나올 것이다. 내가 보기에는 나름대로 시작과 끝, 그리고 소멸할 운명을 갖춘 자족적인 이야기다. 그러나 나는 이미 사실을 알고 있으니, 그 결혼식의 신랑이 1955년 현재 살아 있지 않다는 이야기를 해야만 할 것 같다. 그는 1948년 부인과 함께 플로리다로 휴가를 갔다가 자살했다…… 그럼에도 내가 정말 하려고 하는 이야기는 이것이다. 그 신랑이 영원히 사라진 뒤로, 그 대신 말을 찾으러 내보내고 싶은 사람이 아무도 떠오르지 않더라는 말이다.

*

1942년 5월 말, 팬태지스* 순회단의 보드빌** 배우 출신인 레스와 베시 (갤러거) 글래스의 자손—모두 일곱 명이었다—은 과장하자면 미국 전역에 흩어져 있었다. 둘째인 나는 늑막염—13주에 걸친 기초 보병 훈련의 작은 기념품인 셈이었다—으로 조지

---

* 1920년대 미국 서부 최대의 흥행주인 알렉산더 팬태지스가 세운 흥행단 겸 극장명.
** 노래, 춤, 만담, 곡예 등을 섞은 쇼.

아 주(州) 포트베닝의 부대 병원에 입원해 있었다. 쌍둥이인 월트와 웨이커는 일 년 전에 헤어졌다. 웨이커는 메릴랜드의 양심적 병역거부자 수용소에 들어가 있었고, 월트는 야전포병부대를 따라 태평양 어딘가에 가 있거나, 가고 있는 중이었다. (우리는 그 시점에 월트가 정확히 어디에 있었는지는 모른다. 월트는 편지를 자주 쓰는 아이가 아니었는데, 죽은 뒤에도 개인적인 소식은 우리에게 거의—전혀라고 해도 과언이 아니었다—전해지지 않았다. 월트는 1945년 늦가을 일본에서 군인들의 어처구니없는 실수로 죽었다.)

여동생 중에 나이가 제일 많은 부 부(Boo Boo)는 나이로 보자면 내 밑이고 쌍둥이들에겐 손위였다. 해군 예비부대의 소위였던 부 부는 간혹 브루클린 해군 기지에서 근무하곤 했는데, 그해 봄과 여름에는 시모어 형과 내가 입대하면서 법적으로 거의 우리 손을 떠난 것이나 다름없던 뉴욕의 작은 아파트를 차지하고 있었다.

우리 가족 중에 가장 나이가 어린 주이(남동생)와 프래니(여동생)는 부모와 함께 로스앤젤레스에 살고 있었는데, 아버지는 그곳에서 어떤 영화사에 재주를 팔고 있었다. 주이는 열세 살이었고, 프래니는 여덟 살이었다. 둘 다 매주 〈지혜로운 아이로군요〉라는 제목—전국에 방송되었던 이 프로그램 제목에는 어쩌면 당시 특유의 신랄한 아이러니가 담겨 있었던 것인지도 모르겠다—

의 아동용 라디오 퀴즈 프로그램에 출연하고 있었다. 여기서 우리 가족 아이들이 모두 가끔씩—아니, 거의 매해—〈지혜로운 아이로군요〉의 매주 '초대 손님'으로 고용된 적이 있다는 사실을 말해두는 것이 좋겠다.

시모어와 나는 1927년, 그 프로그램이 옛 머리힐 호텔의 회의장 한 구석에서 '흘러나오던' 시절, 각각 열 살, 여덟 살 때 맨 먼저 출연했다. 시모어에서 프래니까지 우리 일곱 남매는 모두 가명으로 쇼에 출연했다. 보드빌 배우라면 세상에 알려지는 것을 싫어하지 않는 것이 보통인데, 배우의 자식이라는 것을 감안해볼 때, 우리가 가명을 쓴 것은 아주 특이한 일이라고 생각할지도 모르겠다. 그러나 어머니는 언젠가 어떤 잡지에서 전문적인 일을 하는 아이들이 짊어지게 되는 작은 십자가에 대한 기사를 읽었다. 그런 아이들은 정상적이고 바람직해 보이는 집단에서 소외를 당하게 된다는 내용이었다. 그뒤로 어머니는 이 문제에 대해 굳건한 입장을 세웠고, 그후로 한 번도, 단 한 번도 흔들리지 않았다. (지금은 '전문적인 일'을 하는 아이들 대부분 또는 전부를 무법자로 취급할 것인지, 동정할 것인지, 혹은 평화의 파괴자로 여겨 감상을 배제하고 처단할 것인지에 대해 길게 이야기할 때가 아니다. 여기서는 〈지혜로운 아이로군요〉에서 얻은 수입으로 우리 중 여섯 명이 대학을 마쳤고, 지금 일곱 명째가 대학을 다니고 있다는 사실만 이야기해두겠다.)

맏형 시모어 — 여기서는 전적으로 그에게만 초점을 맞추겠다 — 는 1942년 당시 육군항공대라고 부르던 곳에서 상등병으로 근무하고 있었다. 그는 캘리포니아의 B-17 기지에 있었는데, 아마도 중대 행정병 대리 일을 맡고 있었을 것이다. 굳이 괄호 안에 넣을 말은 아니지만, 시모어가 우리 가족 가운데 가장 편지를 안 쓰던 사람이라는 점도 덧붙여두어야겠다. 내 평생 형한테 받은 편지가 다섯 통을 넘지 않으니까.

5월 22일인가 23일 아침(우리 가족은 편지를 쓸 때 날짜를 밝히는 법이 없었다), 포트베닝의 부대 병원에서 횡격막에 반창고를 붙이고 있는데(이는 늑막염 환자에게 해주는 통상적 치료로, 그렇게 해야 기침을 할 때 횡격막이 산산조각 나는 것을 막을 수 있기 때문인 듯했다), 누군가 누이동생 부 부가 보낸 편지를 내 병상 발치에 갖다놓았다. 나는 시련의 시간이 끝난 뒤 부 부의 편지를 읽었다. 그 편지는 지금도 나한테 있는데, 씌어진 그대로 여기에 옮겨보겠다.

버디에게

얼른 짐을 싸야 하기 때문에 짧게, 요점만 간단히 쓸게. 궁둥이 꼬집기 명수인 제독이 전시 업무 때문에 미지의 지역으로 날아가게 됐는데, 얌전히 굴면 비서인 나도 데려가겠다고 결정했어. 지겨울 따름이야. 시모어 문제는 둘째치고, 그렇게 가봤자 엄청나게 추운 공군 기지의 퀸셋 막사에서 지내야 하고, 우리 전투원들의 유치한 추파나 받아야 하고, 비행기 안에서는 지긋지긋한 서류 작업을 해야 하거든. 어쨌든 내가 하고 싶은 이야기는, 시모어가 결혼을 한다는 거야―그래, 결혼을 한다니까. 그러니까 내 얘기 잘 들어. 나는 갈 수가 없어. 이번에 출장을 나가면 최소 여섯 주에서 최대 두 달까지는 돌아오지 못하거든. 여자는 만나봤어. 내 평가로는 꽝이지만, 생긴 건 끝내줘. 사실 그 여자가 꽝인지 아닌지는 잘 몰라. 나하고 만났을 때는 두 마디도 하질 않았거든. 그냥 앉아서 생글생글 웃으면서 담배만 피웠어. 그러니 꽝이니 어쩌니 하고 이야기하는 것은 공정하지 않지. 나는 두 사람의 연애에 대해서는 아무것도 몰라. 시모어가 지난겨울 먼머스에 배치받았을 때 만난 것 같다는 점 외에는. 그 여자 어머니는 끝장이야. 예술은 모르는 게 없고, 훌륭한 융 학파 정신분석가를 일 주일에 두 번씩 만난대(나랑 만났을 때 나한테 정신분석을 받은 적 없느냐고 두 번이나 물었어). 그 여자는 그저 시모어가 좀더 많은 사람들과 사이좋게 지내기를 바랄 뿐이라고 했어. 그러면서 또 한편으로는 그래도 시모어를 아주 좋아하니 어쩌니 하고 이야기를 늘어놓더니, 시모어가 방송에 나왔을 때는 교회에 가듯이 빼놓지 않고 라디오에 귀를 기울였다고 했어. 그게 오빠가 반드시 결혼식에 가야 한다는 것 외에 내가 아는 전부야. 가지 않으면 내가 용서하지 않을 거야. 진심이야. 어머니하고 아버지는 서해안에서 여기까지 오실 수가 없어. 무엇보다도 프래니가 홍역에 걸렸어. 그런데, 지난주에 프래니 방송 들었어? 네 살 때 집에 아무도 없을 때 아파트 안을 날아다녔다는 이야기를 오랫동안 멋지게 하던데. 새 아나운서는 그랜트만 못해. 그게 가능한 일인지는 몰라도, 옛날 설리번보다도 훨씬 못한 것 같아. 글쎄, 프래니가 꿈을 꾼 게 틀림없다고 이야기하는 거야. 하지만 우리 막내는 천사처럼 당당히 맞서며 조금도 물러서지 않았지. 프래니는 자기가 틀림없이 날 수 있었다고 했어. 날다가 전구를 건드리는 바람에 내려오고 나면 손가락에 항상 먼지가 묻어 있었다는 거지. 프래니가 보고 싶어. 오빠도. 어쨌든 결혼식에는 반드시 가야 돼. 필요하면 탈영이라도 해. 제발 가줘. 6월 4일 세시야. 종파에 전혀 얽매이지 않는 자유로운 결혼식이고, 63번가에 있는 그 여자 할머니 집에서 한대. 어느 판사가 주례를 서고. 번지수는 몰라. 하지만 칼과 에이미가 호화롭게 살던 집에서 딱 두 집 밑이래. 월트한테는 내가 전보를 칠게. 하지만 이미 배를 타고 떠났을 거야. 제발 결혼식에 가줘, 버디. 시모어는 몸무게가 고양이 정도밖에 안 나가. 게다가 늘 무아지경에 빠진 표정이라 말도 못 걸겠어. 어쩌면 모든 게 잘될지도 모르지만, 어쨌든 나는 1942년이 싫어. 죽을 때까지 1942년을 미워할 것 같아, 그냥 일반적인 원칙에 입각해서 볼 때 말이야. 안녕. 돌아가서 봐.

부부

편지가 도착하고 나서 이틀 뒤 나는 병원에서 퇴원했다. 그러나 갈비뼈를 감싼 3미터 가량의 반창고 때문에 구금상태에 있는 것이나 다름없었다. 나는 퇴원 즉시 결혼식 참석 허가를 얻기 위해 일 주일간 아주 열심히 사전 운동을 하고 다녔고, 힘겨운 노력 끝에 마침내 중대장의 비위를 맞추는 데 성공할 수 있었다. 중대장은 자칭 책벌레였는데, 그가 가장 좋아하는 작가는 운 좋게도 내가 가장 좋아하는 작가와 일치했다. L. 매닝 바인스. 아니 하인즈였던가. 우리 사이에 이런 정신적 유대가 있었음에도, 나는 중대장에게서 사흘짜리 휴가증밖에 얻어내지 못했다. 사흘이면 기차로 뉴욕까지 갔다가, 결혼식을 보고, 어디서 얼른 저녁을 먹고, 풀이 죽어 조지아로 돌아오기에도 빡빡한 시간이었다.

1942년에는 침대칸이 아닌 모든 객차에서 환기가 말뿐이었으며, 그래서 헌병으로 가득한 기차에서 오렌지 주스, 우유, 호밀 위스키 냄새가 진동했던 기억이 난다. 나는 밤새도록 기침을 하며 어느 친절한 사람이 빌려준 『에이스 코믹스』* 한 권을 읽었다. 마침내 기차가 뉴욕에 도착했을 때 — 결혼식이 열리는 날 오후 두 시 십분이었다 — 는 더 나올 기침도 없었고, 온몸의 힘이 다 빠졌다. 땀을 질질 흘리고 있었으며, 옷은 완전히 구겨져 있었고, 반창고를 붙인 곳이 미친 듯이 가려웠다. 뉴욕은 말할 수 없을 정도로 더웠다. 아파트에 들를 시간은 없었기 때문에, 펜 역의 강철 보관함에 내 짐 — 약간 답답해 보이는, 지퍼가 달린 작은 캔버스 가방이었다 — 을 넣어두었다. 더욱 열받은 일은, 빈 택시를 잡으려고 옷가게가 밀집한 구역에서 서성이고 있는데, 통신대의 소위가 7번가를 건너오더니 갑자기 만년필을 꺼내 내 이름, 군번, 주소를 적은 일이다. 아마 내가 경례를 깜박했던 모양이다. 주위에서는 수많은 민간인들이 호기심을 드러내며 구경했다.

마침내 택시에 탔을 때 나는 다리를 절뚝거리고 있었다. 나는 적어도 '칼과 에이미'가 살던 집 근처까지는 데려다 줄 수 있도록 기사에게 방향을 일러주었다. 그러나 그 블록에 도착하고 나니 찾기는 무척 쉬웠다. 그냥 사람들이 몰려가는 곳만 따라가면 되었다. 심지어 캔버스 천으로 천막까지 쳐놓았다. 잠시 후 나는 오래된 거대한 사암(沙岩) 건물 안에 들어섰다. 머리에 라벤더를 꽂

---

* 1937년부터 1949년까지 발행되었던 미국 만화 잡지.

은 아주 잘생긴 여자가 나를 맞이하며, 신부 쪽인지 신랑 쪽인지 물었다. 나는 신랑 쪽이라고 대답했다. "아," 하고 여자가 말했다.

"음, 여기서는 사람들을 모두 섞어 앉히고 있거든요."

여자는 약간 헤프게 웃음을 터뜨리더니, 접는 의자로 안내했다. 사람들이 북적대는 그 큰 방에 유일하게 남아 있는 빈 의자인 듯했다. 십삼 년이나 지난 일이므로 그 방의 전반적인 물리적 세부 사항들에 대해서는 전혀 기억이 없다. 사람들 때문에 비좁고 숨 막히게 더웠다는 것 외에 딱 두 가지만 기억이 난다. 바로 내 뒤에서 오르간이 연주되고 있었다는 사실, 그리고 내 바로 오른쪽에 있던 여자가 나를 보며 열띤 목소리로, "나는 헬렌 실스번이에요!" 하고 방백을 했다는 사실. 우리 좌석의 위치로 보아 그 여자가 신부의 어머니가 아니라는 것 정도는 짐작할 수 있었다. 그래도 혹시 모르는 일이었으므로 나는 웃음을 지으며 사교적으로 고개를 끄덕였다. 그리고 막 나는 누구라고 말하려는 순간 그녀가 손가락을 점잖게 입에 올렸고, 우리는 둘 다 고개를 돌려 앞을 보았다. 그때가 대략 세시였다. 나는 눈을 감고 약간 조심스러운 마음으로, 오르간 연주자가 배경 음악을 끝내고 〈로엔그린〉으로 넘어가기를 기다렸다.

오르간이 〈로엔그린〉으로 넘어가지 않았다는 기본적인 사실 외에는 그 다음 한 시간 십오 분이 어떻게 지나갔는지 잘 기억나지 않는다. 이곳저곳에서 이따금 기침을 하는 게 누구인지 보려고 슬쩍 뒤로 고개를 돌리는 바람에 낯선 얼굴들과 마주쳤던 기억은 난다. 내 오른쪽에 앉은 여자가 다시 한번 아까와 똑같이 약간 명랑한 목소리로 작게 속삭였던 기억도 난다.

"약간 늦어지나보네요. 랭커 판사를 본 적이 있나요? 성자의 얼굴을 가진 분이에요."

오르간 음악이 어느 시점에서인가 묘하게, 거의 필사적으로, 바흐에서 로저스와 하트*의 초기 음악으로 방향을 틀었던 것도 기억이 난다. 그래도 전반적으로 기억해보면, 안타깝게도 나는 발작적으로 터져나오는 기침을 억눌러야만 하는 자신을 가끔씩 동정하고 돌보면서 시간을 보냈다. 나는 그곳에 앉아 있는 동안 내내 기침 때문에 곧 출혈이 있거나, 반창고를 코르셋처럼 두르고 있었지만 적어도 갈비뼈 골절 정도는 생길 거라는 겁쟁이 같은 생각을 버리지 못하고 있었다.

---

* 미국의 대중가요 작곡가 콤비.

*

　네시 이십분이 되었을 때—좀더 냉혹하게 말한다면, 한 시간 이십 분이 지나 모든 합리적인 희망이 사라졌을 때— 결혼하지 못한 신부가 고개를 푹 숙인 채 양쪽에서 부모의 부축을 받으며 건물을 나가, 곧 무너질 것 같은 모습으로 안내를 받으며 긴 돌계단을 걸어내려가 보도에 섰다. 그녀는 연석에 이중 주차한 채 대기하고 있던 늘씬한 검은 전세차들 가운데 첫째 차 안에 밀어 앉혀졌다. 마치 손에서 손으로 넘겨져 차 안으로 전달된 것 같았다. 아주 생생한 그림 같은 순간, 타블로이드판 신문에 나온 사진 같은 순간이었다. 그리고 타블로이드판 신문에 실리는 순간들이 그렇듯이, 목격자들까지 완벽하게 갖추고 있었다. 이미 결혼식 하객들(나도 그들 가운데 포함되어 있었다)이 건물에서 쏟아져나와 인파를 이루고 있었는데, 그들은 비록 점잖은 자세를 흐트러뜨리지 않았고, 눈을 희번덕거리지도 않았지만 주변에서 벌어지는 일을 조금도 놓치지 않고 있었기 때문이다. 그 광경을 그나마 약간이라도 완화해주는 면이 있었다면, 그것은 날씨였다. 유월의 태양은 너무나 뜨겁고 눈부셔, 사진을 찍을 때 터뜨리는 여러 개의 플래시 전구처럼 중재자 역할을 해주었으며, 그래서 마치 병자처럼 돌계단을 내려오던 신부의 이미지는 가장 흐릿해져야 하는 순간에 다행히도 흐릿하게 번져 보였다.

신부의 차가 적어도 물리적으로는 현장에서 사라진 뒤, 보도, 특히 캔버스 천막 입구 주변—나도 그 근처의 연석 위에서 어슬렁거리고 있었는데—의 긴장은 상당히 약화되었다. 만일 건물이 교회였고 그날이 일요일이었다면, 교회의 회중이 해산하며 일으키는 정도의 아주 정상적인 혼란으로 보였을 것이다. 그때 별안간 어떤 사람—신부의 숙부 앨이었다는 말이 있다—이 결혼식 하객들은 연석에 서 있는 차들을 이용하면 된다고 힘주어 말했다. 피로연이 있느냐 없느냐, 계획에 변화가 있느냐 없느냐는 중요하지 않다는 거였다. 내 주변의 반응을 기준 삼아 말한다면, 다들 그 제안을 일종의 호의적 의사 표시로만 받아들이는 것 같았다. 만만치 않아 보이는 한 무리의 사람들—신부의 '육친'이라고 일컬어지는 사람들—이 현장을 떠나는 데 필요한 운송 수단을 먼저 확보한 다음에야 그 차들을 '이용'할 수 있다는 것은 말할 필요도 없는 일이었기 때문이다. 병목현상 같은 묘한 일 때문에 약간 지체된 뒤(그동안 나는 희한하게도 그 자리에 그대로 붙어 있었다), '육친'들은 과연 대탈출을 감행하기 시작했다. 한 차에 예닐곱 명씩이나 타기도 하고, 서너 명만 타기도 했다. 그 숫자는 가장 먼저 자리를 잡은 사람의 나이, 태도, 엉덩이 넓이에 좌우되는 듯했다.

누군가 떠나면서 제안한 말—아주 또렷하게 들렸다—에 따라, 나는 어느새 캔버스 천막 입구의 연석에 자리 잡고 사람들을 차에 태우는 일을 거들고 있었다.

내가 어쩌다 그런 일을 떠맡게 되었는가에 대해서는 약간 추측해볼 필요가 있다. 나에게 그 일을 맡긴 미지의 오지랖 넓은 중년 양반께서는 내가 신랑의 남동생이라는 사실을 전혀 몰랐을 것이다. 따라서 내가 다른 이유, 훨씬 덜 시(詩)적인 이유 때문에 선발되었다고 보는 게 타당할 것 같다. 때는 1942년이었다. 나는 스물셋이었고, 육군에 갓 징집된 상태였다. 내가 도어맨 역할을 수행하기에 완벽한 자격 요건을 갖춘 것처럼 보였던 것은 오로지 내 나이, 내 군복, 그리고 틀림없이 남을 잘 도울 것 같은 군복 색깔의 분위기 때문이었으리라.

나는 그냥 스물세 살이 아니라, 눈에 띄게 발달이 늦은 스물세 살이었다. 사람들을 자동차에 실으면서도 빠릿빠릿한 면이라고는 전혀 보여주지 못했던 기억이 난다. 그러면서도 나는 어울리지 않게 사관생도처럼 의무에 집착하는 흉내, 단 하나의 목적에만 매진하는 흉내를 내고 있었다. 그런 식으로 몇 분이 지나자 내가 주로 나이 들고, 키가 작고, 살이 찐 세대의 요구에만 영합하고 있다는 것을 지나치다 싶을 만큼 의식하게 되었으며, 팔을 잡아주고 문을 닫아주는 내 행동에서는 점점 더 거짓된 위엄이 드러나게 되었다. 나는 마치 대단히 기민하고, 엄청나게 매력적인 젊은 거인 — 기침을 해대는 거인 — 처럼 행동하기 시작했다.

　그러나 오후의 더위는 줄여 말한다 해도 숨이 막힐 듯했다. 게다가 내 직무에 따르는 보상이 내 눈에도 점점 의미 없는 것처럼 보였던 것 같다. '육친'의 무리가 거의 줄어들지 않은 것 같았음에도, 나는 갑자기 새로 사람들을 태우고 막 연석에서 출발하려는 차들 중 하나에 뛰어들었다. 그러다가 지붕에 머리를 찧으며 (어쩌면 인과응보였는지도 모르지만) 큰 소리를 내고 말았다. 차에 탄 사람 중에는 다름아닌, 결혼식장 안에서 나에게 소곤거리던 헬렌 실스번이 있었는데, 그녀는 나에게 무조건적인 동정심을 드러내기 시작했다. 지붕에 머리를 부딪힌 소리가 차 전체에 울려퍼졌던 것이 분명했다. 그러나 스물세 살 때의 나는 이런 식으로 중인환시의 상황에서 몸을 다칠 경우, 두개골 골절 정도가 아닌 한, 저능아 같은 공허한 웃음소리를 터뜨리고 말 수밖에 없는 젊은 남자였다.

　차는 서쪽으로 움직이더니, 곧바로 열린 용광로 같은 늦은 오후의 하늘로 뛰어들었다. 차는 서쪽으로 두 블록을 달려 매디슨 가(街)에 이르렀으며, 그곳에서 잽싸게 직각으로 방향을 틀어 북쪽으로 향했다. 이름도 모르는 운전사의 놀라운 기민함과 기술 덕분에 간신히 태양의 무시무시한 그물을 벗어난 듯한 기분이었다.

　매디슨 가를 따라 북쪽으로 네댓 블록 올라가는 동안 차 안의

24

대화는 주로 "너무 좁지 않으세요?"라든가 "내 평생 이렇게 덥기는 처음이에요" 같은 말로 한정되었다. 평생 이렇게 덥기가 처음이라는 여자는 연석에 서 있을 때 내 귀에 들어온 이야기에 따르면 들러리 역할을 하기로 했던 부인이었다. 나이는 스물네댓쯤 되어 보였으며, 골격이 크고 살집이 좋아 보이는 몸에 분홍색 새틴 드레스 차림이었다. 머리에는 물망초 조화(造花)로 만든 동그란 장식이 달려 있었다. 일이 년쯤 전에 대학에서 체육교육이라도 전공하지 않았을까 싶을 정도로 운동선수 같은 느낌이 강하게 풍겨나오는 여자였다. 무릎에는 치자꽃 부케를 올려놓고 있었는데, 바람 빠진 배구공을 올려놓는 게 더 잘 어울릴 것 같았다. 그녀는 뒷자리에서 자기 남편과 한 노인 사이에 비좁게 앉아 있었다. 실크해트에 모닝코트 차림의 노인은 몸집이 아주 작았는데, 손에는 불을 붙이지 않은 아바나 시가를 하나 들고 있었다. 실스번 부인과 나─우리의 무릎 안쪽이 맞닿아 있었지만 상스럽다는 느낌은 들지 않았다─는 중간 보조좌석에 앉아 있었다. 나는 별이유 없이 그저 동의의 뜻으로 노인 쪽을 두 번 돌아다보았다. 아까 차에 사람들을 태우며 노인을 위해 문을 열어줄 때, 순간적으로 그의 몸을 번쩍 들어올려 열린 창문 안으로 살며시 밀어넣고 싶은 충동을 느꼈다. 그럴 만큼 노인은 작았다. 난쟁이라고까지는 할 수 없었지만, 틀림없이 백오십 센티미터도 안 되었을 것이다. 차 안에서 노인은 아주 엄한 표정으로 똑바로 앞만 노려보고 있었다. 두번째 돌아보았을 때 노인의 모닝코트 옷깃에 무슨 얼룩이 묻어 있는 것이 보였다. 오래된 고깃국물 자국이 틀림없어 보였다. 또 노인의 실크해트와 차 지붕 사이가 족히 4, 5인치는 되는 것도 눈에 들어왔다…… 그러나 차를 타고 나서 처음 몇 분 동안 나는 주로 나 자신의 건강상태에 신경을 썼다. 늑막염에다가 머리에 난 혹에 덧붙여, 이제는 심기증(心氣症) 환자처럼 패혈성 인두염에 걸린 것 같다는 생각까지 들었다. 나는 슬며시 혀를 뒤로 말아 아픈 부위를 더듬어보았다. 기억하기에 나는 똑바로 내 앞, 그러니까 운전사 목 뒤의 화상 흉터에서 돈을새김으로 만든 지도처럼 보이는 부분만 바라보고 있었던 것 같은데, 갑자기 나와 함께 보조좌석에 앉은 부인이 말을 걸었다.

"안에서는 물어볼 기회가 없었어요. 그래, 요새 어머니는 어떠시우? 젊은이가 디키 브리갠저 맞죠?"

그 질문을 받았을 때 뒤로 말린 내 혀는 탐사를 위해 저 멀리 연구개에까지 이르러 있었다. 나는 혀를 풀고, 침을 삼키고, 부인을 바라보았다. 쉰쯤 되어 보였고, 유행에 뒤지지 않는 세련된 옷차림이었다. 얼굴에는 아주 두꺼운 화장을 하고 있었다. 나는 아니라고, 나는 디키 브리갠저가 아니라고 대답했다.

부인은 약간 실눈을 뜨고 나를 보더니, 내가 실리아 브리갠저의 아들과 똑같이 생겼다고 말했다. 특히 입매가. 나는 표정으로, 누구든 사람을 잘못 볼 수 있다는 뜻을 전달하려 했다. 그러고 나서 다시 운전사의 목 뒤로 시선을 돌렸다. 차 안에는 정적이 흘렀다. 나는 시야 전환을 위해 창밖을 흘끗 보았다.

"군대는 어때요?"

실스번 부인이 물었다. 갑작스러웠지만 스스럼없었다.

그러나 그 순간 짧은 기침 발작이 시작되었다. 발작이 끝났을 때 나는 최대한 기민하게 부인 쪽을 바라보고는 친구를 많이 사귀었다고 말했다. 횡격막 주위에 잔뜩 붙여놓은 반창고 때문에, 부인 쪽으로 방향을 틀기가 좀 어려웠다.

실스번 부인은 고개를 끄덕였다.

"다들 훌륭한 것 같아요."

부인은 약간 모호하게 말했다.

"신부 친구예요, 신랑 친구예요?"

그녀는 섬세하게 정곡을 찔러 들어오고 있었다.

"어, 사실, 저는 친구는 아니—"

"신랑 친구라고는 말하지 않는 게 좋을 거예요."

들러리가 차 뒤쪽에서 말을 끊고 들어왔다.

"난 한 2분쯤 그 인간을 두들겨패고 싶어. 딱 2분, 그거면 돼."

실스번 부인은 잠깐이지만 말한 사람 쪽으로 완전히 고개를 돌려 웃음을 지어 보였다. 그리고 다시 앞을 보았다. 사실 우리는 거의 일치된 동작으로 머리 왕복을 했다. 실스번 부인이 고개를 돌렸다가 다시 앞을 본 게 순간적이었다는 것을 감안할 때, 그녀가 들러리에게 선사한 미소는 가히 보조좌석 위의 걸작이라 할 만했다. 그 미소는 전 세계의 모든 젊은이들에게 무한한 동지애를 전할 수 있을 만큼 생생했다. 물론 그 미소의 주요 대상이 뒷자리에 앉은 기운차고 거리낌 없는 이 지역 대표 젊은이이긴 했지만, 아마 실스번 부인은 그녀와 의례적인 인사를 나눈 사이 이상은 아니었을 것이다.

"피에 굶주린 여자로군."

낄낄거리는 듯한 남자 목소리가 들렸다. 그 바람에 실스번 부인과 나는 다시 고개를 돌렸다. 말을 한 사람은 들러리의 남편이었다. 그는 내 바로 뒤쪽, 그러니까 자기 부인 왼쪽에 앉아 있었다. 그와 나는 표정도 없고 우애도 없는 눈길을 잠깐 교환했는데, 그것은 오직 1942년이라는 무절제한 해에 장교와 사병 사이에서만 교환될 수 있는 표정이었을 것이다. 통신대 중위인 그 남자는 아주 재미 있는 육군 항공대 조종사 모자를 쓰고 있었다. 챙이 달린 그 모자에는 둥그렇게 틀을 잡아주는 금속 테가 빠져 있었는데, 그렇게 하면 모자를 쓴 사람이 왠지 용맹스러워 보이게 마련이었다―실제로 그런 효과를 노리고 테를 빼버리는 것이겠지만.

그러나 이 남자의 경우에는 모자가 그런 기대를 충족시켜주지 못했다. 다만 한 가지, 테를 제대로 갖춘 특대 크기의 내 모자를 마치 누군가 쓰레기 소각로에서 서둘러 골라낸 어릿광대 모자처럼 보이게 하는 데에는 도움이 되었다. 중위의 얼굴은 혈색이 나빴으며, 무엇보다도 기가 꺾인 듯한 모습이었다. 그는 믿을 수 없을 정도로 땀을 많이 흘렸다—이마에, 인중에, 심지어 코끝에도. 소금이라도 준비해두어야 할 것 같았다.

"나는 이 근처 여섯 개 카운티 안에서 가장 피에 굶주린 여자하고 삽니다."

중위는 실스번 부인에게 그렇게 말하고는, 모두 들으라는 듯 다시 낮은 소리로 낄낄거렸다. 나는 그의 계급에 대한 존경심 때문에 나도 모르게 따라서 낄낄거릴 뻔했다. 짧고 공허한, 낯선 자의 웃음이자 징병당한 사람의 웃음. 아마 그렇게 웃었다면 내가 중위를 비롯한 차 안의 다른 모든 사람과 같은 편이며, 누구에게도 맞설 생각이 없다는 것을 분명히 보여줄 수 있었을 것이다.

"진심이야."

들러리가 말했다.

"딱 2분만. 그러면 돼. 아, 이 내 두 손으로—"

"됐어. 이제 진정해. 진정하라고."

그녀의 남편이 말했다. 언제까지나 마르지 않을 듯한 부부의 정이 담긴 말투였다.

"그만 진정해. 그게 오래 사는 비결이야."

실스번 부인은 다시 차 뒤쪽으로 고개를 돌려, 들러리에게 거의 거룩하다 싶을 정도의 미소를 지어 보였다.

"혹시 그 남자 쪽 사람들 중에 누가 결혼식에 참석했는지 보았나요?"

실스번 부인은 작은 목소리로 물었는데, '그 남자'라는 말을 약간 강조하긴 했지만 점잖은 부인으로서 완벽한 예의에서 조금도 벗어나지 않았다.

들러리의 답에 독기가 들어가면서 음량이 커졌다.

"아뇨. 그쪽은 모두 서해안인가 어딘가에 있대요. 내 눈에 좀 띄었으면 좋았을 것을."

다시 그녀의 남편이 낄낄대는 소리가 들렸다.

"당신 눈에 띄었으면 어쨌을 건데, 여보?"

그가 물었다. 그러면서 계급을 의식하지 않고 내 쪽을 향해 눈을 찡긋 했다.

"글쎄, 나도 모르겠어. 하지만 어떻게든 했을 거야."

들러리가 말했다. 그녀의 왼쪽에서 낄낄거리는 소리가 커졌다.

"정말 그랬을 거라니까!"

들러리가 고집스럽게 말했다.

"뭔가 말을 했을 거야. 정말이야. 꼭."

그녀는 점점 방약무인한 태도를 보였다. 마치 자기 말이 들리는 범위 안에 있는 우리가 모두 그녀의 남편한테 무슨 신호라도 받아, 그녀의 정의감이 아무리 철없고 비현실적인 것이라 해도 그것에서 무슨 솔직한—씩씩한—구석이라도 느끼게 된 줄 아는 모양이었다.

"나도 그 사람들한테 무슨 말을 했을지는 모르겠어. 아마 멍청한 소리나 주절댔겠지. 하지만 기필코. 정말로! 나는 누가 살인이나 진배없는 짓을 저질러놓고 아무런 벌도 안 받는 꼴은 못 보는 사람이야. 피가 끓는단 말이야."

들러리는 잠시 활기찬 언동을 멈추었다가, 그새 실스번 부인이 그녀를 향해 꾸며낸 감정이입의 표정에 더 용기를 얻었다. 이제 실스번 부인과 나는 보조좌석에 앉은 채 사교적 태도를 벗어나 완전히 몸을 돌리고 있었다.

"정말이라니까. 자기 멋대로 사람들 감정에 상처를 주면서 난폭하게 인생을 헤치고 나가는 꼴을 두고만 볼 수는 없는 거잖아."

"안됐지만 나는 그 젊은이에 대해서는 거의 아는 게 없어요."

실스번 부인이 작은 소리로 말했다.

"사실 그 젊은이를 만나본 적도 없어요. 뮤리얼이 약혼을 했다는 소식을 처음 들었을 때—"

"아무도 그 인간을 만나보지 못했어요."

들러리가 상당히 격하게 말했다.

"나도 그 인간을 만난 적이 없어요. 결혼식 예행연습을 두 번 했는데, 그때마다 뮤리얼의 가엾은 아버지가 그 인간을 대신해야 했어요. 그 얼빠진 비행기가 이륙을 할 수 없다는 이유로 말이에요. 원래 그 인간은 지난 화요일 밤에 무슨 얼빠진 육군 비행기를 타고 이곳으로 날아오기로 되어 있었어요. 하지만 콜로라도인지 애리조나인지 아무튼 그런 얼빠진 곳에 눈이 온다나 무슨 얼빠진 일이 생겼다나 해서, 어젯밤, 새벽 한시까지도 도착을 하지 않은 거예요. 그러고는, 그 제정신이 아닌 시간에, 롱아일랜드인지 어딘지 하는 먼 곳에서 뮤리얼에게 전화를 해서 무슨 끔찍한 호텔 로비에서 만나 이야기 좀 하자고 한 거예요."

들러리는 몸을 부르르 떨어 할 말을 대신했다.

"그런데 뮤리얼을 아시잖아요. 그애는 마냥 착하기만 해서 누구한테나, 자기 오빠한테도 그냥 떠밀려만 다니잖아요. 내가 약이 오르는 건 바로 그거예요. 결국에 가서 상처를 받는 건 늘 그런 착한 사람들이라는 거예요…… 어쨌든, 그래서 그애는 옷을 입고 택시를 타고 가서 웬 끔찍한 호텔 로비에 앉아 새벽 다섯시 십오분 전까지 그 인간하고 이야기를 했어요."

들러리는 손에 들었던 치자꽃 부케를 놓고 무릎 위로 두 주먹을 들어올렸다.

"우우우, 정말 화딱지 나 죽겠어!"

"어느 호텔이죠? 혹시 아세요?"

내가 들러리에게 물었다.

나는 별 의미 없이 묻는 듯 말하려고 애썼다. 마치 아버지가 호텔업계에서 일하기 때문에 사람들이 뉴욕에 오면 어디에 머무는지에 대해 관심—누구나 이해해줄 만한 관심—을 가지고 있기라도 한 것처럼. 사실 내 질문은 거의 의미가 없었다. 그냥 머릿속에 있던 생각을 입 밖에 낸 것뿐이었다. 나는 형이 텅 빈 아파트를 얼마든지 이용할 수 있었음에도, 약혼녀에게 군이 호텔 로비에서 만나자고 했다는 사실에 관심이 생겼다. 그런 행실 바른 태도가 형답지 않다는 것은 절대 아니었지만, 그럼에도 나는 약간이나마 흥미가 생겼다.

"어느 호텔인지 나는 모르겠어요."

들러리는 짜증스럽게 대꾸했다.

"그냥 어떤 호텔이에요. 왜요? 그 인간 친구라도 되나요?"

그녀가 나를 노려보며 다그쳤다.

그녀의 눈길에는 분명히 위압적인 데가 있었다. 한 여자의 시선이 아니라 군중의 집중된 시선 같았다. 시간과 우연에 의해 떨어져 있을 뿐, 뜨개질을 하면서 단두대의 멋진 광경을 구경하던 여자들 같았다. 나는 평생 어떤 종류든 군중을 무서워했다.

"우리는 어린 시절을 함께했지요."

나는 거의 알아들을 수 없는 목소리로 대꾸했다.

"흠, 다행이로군요!"

"그만, 그만."

그녀의 남편이 말했다.

"흠, 미안해요."

들러리는 남편에게 말했지만, 사실 그것은 우리 전부에게 하는 말이었다.

"하지만 당신은 방 안에서 그 가엾은 아이가 장장 한 시간 동안 눈이 빠져라 우는 걸 못 봐서 그래. 가슴 아픈 광경이었다고. 절대 잊지 못할 거야. 나도 신랑들이 겁을 먹는다느니 어쩌느니 하는 이야기는 들었어. 그래도 마지막 순간에 그러지는 않잖아. 정말로 점잖은 수많은 사람들이 창피해서 얼굴도 못 들도록 만들거나, 가엾은 아이의 마음을 박살내버린다든가 하지는 않잖아! 마음이 바뀐 거라면 왜 편지를 보내서 신사처럼 끝내질 못해? 이런 비참한 일들이 생기기 전에 말이야."

"알았어, 진정해, 진정하라고."

그녀의 남편이 말했다. 여전히 낄낄대는 듯한 말투였으나, 이제는 약간 긴장이 느껴졌다.

"흠, 정말이라니까! 왜 남자답게 편지로 이야기하지 못하는 거야? 그랬으면 이런 비극은 다 막을 수 있었을 거 아냐?"

들러리는 갑자기 나를 쳐다보았다.

"혹시 그 인간이 어디 있는지 알아요?"

그녀가 따지듯이 물었다. 목소리에 금속성이 섞여 있었다.

"어린 시절 친구라면 그래도 어떤ㅡ"

"나는 두 시간 전에 뉴욕에 도착했습니다."

나는 긴장하며 대답했다. 이제는 들러리뿐만 아니라 그녀의 남편과 실스번 부인까지도 나를 물끄러미 바라보고 있었다.

"지금까지 전화 걸러 갈 기회도 없었는 걸요."

그 순간 기침 발작이 찾아왔던 것이 기억난다. 진짜 발작이기는 했지만, 기침을 참거나 기침하는 시간을 단축하려는 노력은 거의 하지 않았다는 점은 말해두어야겠다.

"자네 의사한테 가봤나, 병사?"

발작이 끝나자 중위가 물었다.

그 순간 다시 기침이 찾아왔다. 묘한 일이었지만 어쨌든 진짜 발작이었다. 나는 여전히 보조좌석에서 반 또는 사분의 일쯤 오른쪽으로 각도를 튼 상태였다. 그 자세에서 위생상의 예의를 지키기 위해 간신히 다시 차 앞쪽으로 몸을 틀고 기침을 할 수 있었다.

*

  아주 어지러워 보이겠지만, 두어 가지 어려운 질문에 대답하기
위해 여기서 한 문단 끼워넣는 것이 좋겠다. 첫째, 왜 나는 그 차
안에 계속 앉아 있었을까? 모든 부차적인 고려는 둘째치고, 무엇
보다도 그 차는 내가 알기로 안에 탄 사람들을 신부 부모의 아파
트로 데려갈 예정이었다. 결혼식도 올리지 못한 기운 빠진 신부
나 그녀의 정신 사나운(그리고 화가 났을 가능성이 높은) 부모에
게서 직접적이든 간접적이든 아무리 많은 정보를 얻을 수 있다 해
도, 내가 그들의 아파트에 있으면서 생길 어색함을 보상할 만큼
은 아니다. 그렇다면 왜 나는 그 차 안에 계속 앉아 있었던가? 예
를 들어 빨간 불 앞에서 멈추었을 때 왜 차에서 내리지 않았을까?
그리고 생각할수록 더욱 도드라지는 문제지만, 애당초 왜 내가
그 차에 뛰어들었던가…… 이런 질문들에 대해서는 적어도 여남
은 가지 대답이 가능할 듯하며, 그 모든 답은 비록 애매하나마 그
런대로 타당성을 지니고 있는 것 같다. 그러나 굳이 그런 답들을
들먹이지 않아도 될 것 같다. 그냥 그해가 1942년이었다는 것, 나
는 스물세 살이었으며, 갓 징집되어 큰 무리에 바짝 붙어 따라다
니는 게 인생에 보탬이 된다는 충고를 듣고 있었다는 것, 그리고
무엇보다도 외로웠다는 것만 되풀이하면 될 것 같다. 지금 돌이

켜 보면 나는 그냥 사람 많은 차 안에 뛰어들어, 그냥 그들 속에 그대로 앉아 있었던 것뿐이다.

*

다시 이야기 속으로 돌아가면, 세 명 모두―들러리, 그녀의 남편, 실스번 부인―내가 기침하는 것을 뚫어져라 지켜보는 동안, 내가 뒷자리의 작은 노인을 흘끗 보았던 기억이 난다. 노인은 여전히 앞쪽만 응시하고 있었다. 나는 바닥에 완전히 닿지 않는 그의 두 발을 보며 고마움을 느꼈다. 그 두 발은 나의 오래되고 귀중한 친구처럼 보였다.

"그런데 그 인간은 대체 뭘 하는 사람이래요?"

내가 두번째 기침 발작에서 빠져나오자 들러리가 나한테 물었다.

"시모어 말인가요?"

내가 말했다. 나는 그녀의 억양 때문에, 처음에는 그녀가 마음속에 매우 불명예스러운 것을 염두에 두고 있는 줄 알았다. 그러나 갑자기 그녀가 시모어와 관련된 잡다한 전기적 사실을 은밀히 모아두었을지도 모른다는 생각―순전히 직관적인 생각이었다 — 이 들었다. 즉 시모어에 대한 저급하고, 안타까울 정도로 극적이고, 또 (내 의견으로는) 기본적으로 오해하기 쉬운 사실들을. 시모어가 어린 시절 약 육 년 동안 전국적인 라디오 '유명인사' 였던 빌리 블랙이었다는 것. 또는 다른 예로, 불과 열다섯 살의 나이에 컬럼비아 대학에 입학했다는 것.

"그래요, 시모어 말이에요. 그 인간은 군대 가기 전에 뭘 했죠?"

다시 조금 전과 마찬가지로 직관이 눈부시게 번뜩였다. 어떤 이유에서인지 다 드러내지는 않고 있지만, 그녀가 시모어에 대해 보기보다 훨씬 많이 알고 있다는 느낌이 들었다. 우선 그녀는 시모어가 입대 전에 영문학을 가르쳤다는 사실, 즉 시모어가 교수였다는 사실을 아주 잘 알고 있을 것 같았다. 교수. 사실 그녀를 보고 있다가 순간적으로 그녀가 내가 시모어의 동생이라는 사실도 알고 있을지 모른다는 생각이 들면서 마음 한구석이 불편해졌다. 이런 생각을 오래 하고 싶지는 않았다. 나는 그녀의 눈을 정면으로 바라보지 못하고 말했다.

"수족(手足) 전문의였습니다."

그리고 얼른 고개를 돌려 주위를 둘러보았다. 이어 내 옆의 창밖을 내다보았다. 차는 벌써 몇 분 동안 움직이지 않고 있었는데, 나는 그제야 처음으로 멀리서, 대충 렉싱턴 가나 3번가 쪽에서 나는 북소리를 들었던 것이다.

*

"퍼레이드로군요!"

실스번 부인이 말했다. 그녀도 고개를 돌리고 있었다.

우리는 80번가 위쪽의 거리에 있었다. 경찰관 한 명이 매디슨 가 한가운데 서서 남북 방향의 모든 차량을 막고 있었다. 내가 보기에는 그냥 막고만 있는 것 같았다. 즉 동쪽이나 서쪽으로 방향을 돌려주지 않았다는 것이다. 승용차 서너 대와 버스 한 대가 남쪽으로 가려고 기다리고 있었다. 그러나 북쪽으로 가려는 차는 우리 차 한 대뿐이었다. 바로 코앞의 모퉁이와 5번가로 통하는 주택가 이면도로에 사람들이 연석과 보도에 두세 줄로 서서 기다리고 있었다. 아마 부대 선발대나 간호사, 또는 보이 스카우트가 렉싱턴 가나 3번가의 집결지를 떠나 그곳을 행진해 지나가기를 기다리는 것 같았다.

"오. 맙소사. 이게 대체 뭐야?"

들러리가 말했다.

나는 고개를 돌리다가 하마터면 그녀와 머리를 부딪칠 뻔했다. 그녀는 몸을 앞으로 기울여, 실스번 부인과 나 사이의 공간에 머리를 들이밀다시피 했다. 실스번 부인 역시 그녀의 동작에 반응을 보여, 약간 언짢은 표정으로 그녀 쪽을 보았다.

"이러다간 몇 주일 동안은 꼼짝도 못 하겠네."

들러리는 앞유리창으로 바깥을 내다보려고 목을 길게 뺐다.

"지금쯤은 거기 가 있어야 하는데. 뮤리얼하고 그애 어머니한테 앞쪽에 있는 차를 타고 갈 테니까 오 분쯤이면 집에 도착할 거라고 말해두었는데. 오, 맙소사! 어떻게 좀 해볼 수 없어요?"

"나도 거기 가야 돼요."

실스번 부인이 틈도 두지 않고 대꾸했다.

"그래요, 하지만 나는 엄숙하게 약속을 했다고요. 그 집에는 온 갖 종류의 얼빠진 숙모나 삼촌, 또 얼굴도 처음 보는 사람들이 꽉 들어찰 거예요. 그래서 내가 총검을 열 자루쯤 들고 경비를 서서 약간의 프라이버시나마 보장해주겠다고─"

그녀는 말을 끊었다.

"오, 맙소사. 이건 끔찍해."

실스번 부인은 작지만 과장된 소리로 웃음을 터뜨렸다.

"안타깝게도 나도 그 얼빠진 숙모들 가운데 한 사람인데요."

모욕을 당했다고 느끼는 것이 분명했다.

들러리는 그녀를 쳐다보았다.

"아, 죄송해요. 부인 이야기를 한 게 아니었어요."

그녀는 다시 뒷좌석에 등을 기댔다.

"그저 그 아파트가 너무 비좁아서, 사람들이 수십 명씩 밀려오면— 무슨 말인지 아시잖아요."

실스번 부인은 아무 말도 하지 않았다. 나는 그녀가 들러리의 말에 기분이 얼마나 상했는지 확인하려고 돌아보지는 않았다. 하지만 들러리가 '얼빠진 숙모나 삼촌'이라는 작은 말실수에 대해 사과할 때의 말투가 묘하게도 인상 깊었던 것이 기억난다. 그녀는 진짜로 사과했다. 그러나 그렇다고 무안해하며 아첨하는 사과의 말은 결코 아니었다. 순간적으로 나는 그녀가 비록 연극을 하듯 분개하고, 과시하듯 투지를 드러냈지만, 그래도 뭔가 총검 같은 구석이, 뭔가 감탄할 만한 구석이 있다는 느낌을 받았다(이 경우의 내 의견이란 대단히 제한적인 가치밖에 없다는 것을 얼른, 그리고 기꺼이 인정해야겠다. 나는 지나친 사과는 하지 않는 그런 사람들에게 아주 강하게 끌리는 경향이 있기 때문이다). 그러나 중요한 점은 바로 그때 처음으로, 사라진 신랑에 대한 적대감의 작은 파도가, 그의 무단 결석에 대한 비난의 작은 흰 파도— 간신히 느낄 만한 정도였지만—가 나의 방어선을 넘어 들어왔다는 것이다.

"어디 손쓸 방법이 좀 있는지 알아보자고."

들러리의 남편이 말했다. 총알이 쏟아지는 가운데서도 냉정을 유지할 수 있는 사람의 목소리 같았다. 그가 내 뒤에서 진용을 정비하는 듯한 느낌이더니, 이윽고 그의 머리가 실스번 부인과 나

사이의 좁은 공간으로 불쑥 들어왔다.

"운전사."

그는 거만하게 부르고는 답을 기다렸다. 답이 즉시 나오자 그의 목소리는 약간 신축성 있게, 민주적으로 바뀌었다.

"우리가 여기서 얼마나 이렇게 꼼짝 못 하고 있어야 할 것 같소?"

기사는 고개를 돌렸다.

"이보쇼, 내가 그걸 어찌 알겠소."

기사는 그렇게 말하더니 다시 앞을 보았다. 기사는 교차로에서 벌어지고 있는 일에 정신이 팔려 있었다. 조금 전에 바람이 약간 빠진 빨간 풍선을 든 작은 소년이 출입이 금지된 텅 빈 거리로 뛰어들었다. 소년의 아버지가 아이를 잡아 연석 쪽으로 질질 끌고 오더니 아이의 두 어깨뼈 사이를 주먹으로 두 번 쳤는데, 그 주먹에는 상당히 힘이 들어가 있었다. 당연한 일이지만, 모여 있던 사람들은 아버지의 행동에 야유를 보냈다.

"저 사람이 저 아이한테 하는 짓을 봤어요?"

실스번 부인이 우리에게 물었다. 아무도 대답하지 않았다.

"저 경찰관한테 우리가 여기서 얼마나 기다려야 되는지 물어보는 게 어떻겠소?"

들러리의 남편이 기사에게 물었다. 그는 여전히 몸을 앞으로 내밀고 있었다. 앞서 자신의 질문에 대한 기사의 간결한 대답이 마음에 들지 않았던 게 분명했다.

"알다시피, 우리 모두 좀 바쁘잖소. 저 경찰관한테 우리가 여기에 얼마나 이러고 있어야 하는지 물어봐주겠소?"

기사는 고개를 돌리지도 않고 무례하게 어깨를 으쓱했다. 그러나 그는 엔진을 끄고 차에서 내리더니, 리무진의 묵직한 문을 소리 나게 닫았다. 지저분하고 황소 같아 보이는 인상이었는데, 운전사 제복조차 제대로 입지 않았다. 검은 서지 양복을 입기는 했지만, 모자는 쓰지 않았다는 뜻이다.

기사는 천천히, 그리고 건방지다고까지 할 수는 없지만 아주 당당하게 교차로까지의 짧은 거리를 걸어갔다. 교차로에서는 계급이 높은 경찰관이 지휘를 하고 있었다. 두 사람은 선 채로 끝도 없이 이야기를 나누었다(내 뒤에서 들러리가 토하는 신음 소리가 들렸다). 그때 갑자기 두 사람이 큰 소리로 웃음을 터뜨렸다. 당면한 문제에 대해 이야기를 나눈 것이 아니라, 짧고 지저분한 농담이라도 주고받은 것 같았다. 이윽고 기사는 따라 웃고 싶은 기분이 들지 않는 웃음을 계속 터뜨리며 경찰관에게 형제처럼 손을 흔들더니, 느릿느릿 차로 돌아왔다. 기사는 차 안으로 들어오더니 소리 나게 문을 닫고, 대시보드의 선반에 있던 담뱃갑에서 담배를 한 대 뽑아 귓등에 꽂았다. 그렇게 하고 나서야, 우리를 돌아보며 보고했다.

"저 친구도 모른다오. 퍼레이드가 이곳을 지나갈 때까지 기다려야 한다는 거요."

기사는 심드렁한 표정으로 우리를 훑어보았다.

"그런 다음에 가라는 거요. 됐소?"

그는 앞을 보더니, 귓등에서 담배를 꺼내 불을 붙였다.

뒷좌석에서 들러리가 낭패감과 분노 때문에 귀에 들릴 정도로 씩씩대고 있었다. 이윽고 정적이 흘렀다. 몇 분 만에 다시 나는 불 붙이지 않은 시가를 든 작은 노인을 돌아다보았다. 그는 일정이 늦어져도 아무 상관 없는 듯했다. 그에겐 자동차 ― 움직이는 차든 정지해 있는 차든, 다리에서 벗어나 강으로 떨어지는 차든 ― 뒷좌석에 앉는 방법에 대한 기준이 확고히 정해져 있는 듯했다. 그 기준이란 멋지다 싶을 정도로 간단했다. 그냥 허리를 꼿꼿이 세우고 앉는다. 실크해트와 차 천장 사이에 4, 5인치 정도의 간격을 유지한다. 사납게 앞유리창을 노려본다. 바깥 어딘가에 늘 있는, 어쩌면 차 후드에 걸터앉아 있을지도 모르는 죽음이 기적적으로 창 안으로 들어와 노인을 덮친다 해도, 노인은 선뜻 일어나서 사나운 표정으로, 그러나 아무 말 없이 죽음을 따라나설 것 같았다. 시가도 함께 가져갈 것 같았다. 그것이 새 아바나 시가이기만 하다면.

44

"어떻게 할 거야? 그냥 여기 앉아만 있을 거야?"

들러리가 말했다.

"더워서 죽을 지경인데."

실스번 부인과 내가 뒤쪽으로 고개를 돌리자, 차에 탄 후 처음으로 들러리가 남편을 똑바로 보고 있는 모습을 볼 수 있었다.

"그쪽으로 조금만 더 갈 수 없어? 너무 좁아서 숨도 제대로 쉴 수가 없어."

들러리가 남편에게 말했다.

중위는 낄낄거리더니 할말이 많다는 듯 두 손을 펼쳤다.

"나는 지금 펜더*에 앉아 있는 거나 마찬가지란 말이야, 여보."

그러자 들러리는 호기심과 못마땅함이 뒤섞인 표정으로 반대쪽 옆자리에 앉은 사람을 쳐다보았는데, 노인은 무의식중에 나를 즐겁게 해주려는 듯 필요 이상으로 넓은 자리를 차지하고 있었다. 그의 엉덩이 오른쪽과 바깥쪽 팔걸이 밑동 사이에는 5센티미터는 됨직한 공간이 있었다. 들러리 역시 그것을 본 것이 틀림없었지만, 그녀의 기질에도 불구하고 완강해 보이는 작은 노인에게 말을 걸 엄두는 나지 않는 듯했다. 그녀는 다시 남편을 돌아보았다.

"당신 담배에 손이 닿아? 너무 비좁아서 내 것은 꺼낼 수가 없

---

* 자동차 바퀴에서 흙이 튀는 것을 막아주는 흙받이.

어."

그녀가 짜증을 내며 말했다. 그녀는 '비좁다'는 말을 할 때 다시 한번 고개를 돌려, 당연히 그녀의 공간이어야 할 곳을 찬탈한 죄를 지은 몸집 작은 인물을 향해 짧지만 많은 의미가 담긴 눈길을 던졌다. 그러나 그는 손 닿지 않는 곳에 숭고하게 자리 잡은 채 미동도 하지 않았다. 계속 앞유리만 노려볼 뿐이었다. 들러리는 실스번 부인을 바라보더니, 의미심장하게 두 눈썹을 치켜올렸다. 실스번 부인은 이해와 공감이 가득한 표정으로 응답했다. 한편 중위는 자기 왼쪽, 그러니까 창문 쪽 엉덩이로 몸무게를 옮긴 다음, 장교들이 입는 분홍색 바지의 오른쪽 호주머니에서 담뱃갑과 종이 성냥을 꺼냈다. 그의 부인은 담배를 한 개비 뽑아들고 불을 붙여주기를 기다렸다. 불은 즉시 다가왔다. 실스번 부인과 나는 마치 매혹적이고 신기한 구경거리라도 되는 듯이 담배에 불을 붙이는 광경을 지켜보았다.

"아, 내 정신 좀 봐."

중위는 갑자기 말하며, 실스번 부인에게 담뱃갑을 내밀었다.

"아뇨, 됐어요. 나는 담배 안 피워요."

부인은 얼른 대꾸했다. 마치 담배를 안 피우는 것이 안타까운 일이라는 듯이.

"자네는?"

중위는 눈에 띌 듯 말 듯 머뭇거린 뒤 그렇게 말하며 나에게 담 뱃갑을 내밀었다. 사실 나는 중위가 그런 제안을 한 것, 일반적 예의가 계급에 대해 작은 승리를 거둔 것 때문에 그가 마음에 들었지만, 담배는 사양했다.

"성냥 좀 봐도 될까요?"

실스번 부인이 숫기 없는, 거의 어린 소녀 같은 목소리로 말했다.

"이것 말인가요?"

중위는 얼른 성냥갑을 실스번 부인에게 건네주었다.

실스번 부인은 종이 성냥을 살펴보았고, 나도 몰두한 표정으로 구경했다. 덮개에는 진홍색 바탕에 황금색 글자로 '이 성냥은 밥과 에디 버윅의 집에서 훔친 것입니다'라고 인쇄되어 있었다.

"귀엽네요."

실스번 부인이 고개를 저으며 말했다.

"정말 귀여워요."

나는 표정을 통해 안경이 없으면 그런 작은 글자는 읽을 수 없다는 뜻을 전달하려고 애썼다. 눈을 가늘게 뜨고 성냥을 보면서 얼굴에 아무런 표정을 드러내지 않은 것이다. 실스번 부인은 성냥을 주인에게 돌려주기가 내키지 않는 듯했다. 이윽고 그녀가 성냥을 돌려주고, 중위가 그것을 가슴 주머니에 집어넣은 뒤에 부인은 말했다.

"그런 성냥은 처음 보는 것 같아요."

이제 그녀는 보조좌석에서 거의 완전히 돌아앉은 자세로 다정하게 중위의 가슴 주머니를 바라보았다.

"작년에 이런 걸 잔뜩 만들었죠. 정말이지, 이렇게 해놓으니까 놀랍게도 성냥이 잘 줄어들지 않더라고요."

들러리가 남편 쪽을 돌아보았다. 아니, 굽어보았다.

"그러라고 그걸 만든 건 아니잖아."

그녀가 말했다. 그녀는 남자들이 어떤지 잘 알지 않느냐는 표정으로 실스번 부인을 돌아보더니 말했다.

"모르겠어요. 난 그냥 그게 재미있다고 생각했을 뿐인데. 진부하긴 하지만 그래도 재미있죠. 아시잖아요."

"귀여워요. 나는 지금까지 한 번도—"

"사실 독창적이거나 뭐 그런 건 아니에요. 요새는 다들 저런 걸 갖고 다니거든요. 솔직히 말해서 처음에 저런 걸 만들자는 생각이 든 건 뮤리얼의 어머니와 아버지 때문이었어요. 그 집에 가면 늘 저런 게 있더라고요."

들러리는 담배를 깊이 빨더니, 한 음절마다 연기를 한 모금씩 토해내며 말을 이어갔다.

"정말이지, 멋진 사람들이에요. 내가 오늘 일 때문에 죽도록 괴로워하는 이유가 바로 그거예요. 내 말은요, 왜 이런 일이 그런 좋은 사람들이 아니라 밉살스러운 놈들한테 일어나지 않느냐는 거예요. 나는 그걸 이해할 수가 없어요."

그녀는 실스번 부인을 보며 답을 기다렸다.

실스번 부인은 세속적인 동시에 희미한 수수께끼 같은 미소를 지었다. 지금 기억해보면 보조좌석 위의 모나리자 같은 미소였다.

"나도 그게 궁금할 때가 많았어요."

그녀는 많은 감정을 담아 작은 소리로 대답했다. 그러고는 약간 모호하게 덧붙였다.

"있잖아요, 뮤리얼의 어머니가 내 죽은 남편의 여동생이죠."

"아!"

들러리가 관심이 담긴 감탄사를 내뱉었다.

"흠, 그렇다면 잘 아시겠네요."

그녀는 유난히 긴 왼팔을 내밀어 남편 옆의 유리창에 있는 재떨이에 담뱃재를 떨었다.

"솔직히 그분은 내가 평생 만나본 정말 극소수의 머리 좋은 사람 중 하나라고 생각해요. 그러니까 인쇄되어나온 것은 거의 다 읽으신 것 같아요. 내가 그분이 읽고 잊어버린 것 가운데 십분의 일만 읽었어도 좋으련만. 그러니까 그분은 제대로 배웠고, 신문사에서 일을 했고, 자기 옷을 디자인하고, 집안일도 다 한다는 거예요. 그분 요리는 이 세상 맛이 아니에요. 정말이지 참! 솔직히 그분은 가장 훌륭—"

"뮤리얼 어머니가 이 결혼을 허락했나요?"

실스번 부인이 끼어들었다.

"그러니까 내가 묻는 것은, 내가 몇 주 동안 디트로이트에 가 있었기 때문이에요. 올케가 갑자기 돌아가시는 바람에 나는 —"

"너무 착해서 말을 못 한 거죠."

들러리가 딱 잘라 말했다. 그녀는 고개를 저었다.

"내 말은요, 그분은 너무 — 아시잖아요 — 신중하고 그렇다는 거예요."

그녀는 생각에 잠겼다.

"사실 말이지, 그분이 그 일에 대해 하고 싶은 말을 하는 건 오늘 아침에 딱 한 번 들었어요, 정말로. 그것도 다 가엾은 뮤리얼 때문에 너무 속이 상해서 하신 말씀이었죠."

그녀는 팔을 뻗더니 다시 재를 떨었다.

"오늘 아침에 뭐라고 그랬는데요?"

실스번 부인이 강한 관심을 드러내며 물었다.

들러리는 잠시 생각하는 눈치였다.

"흠, 별 건 없었어요, 사실. 그러니까 시시콜콜히 얘기를 한 것도 아니고, 깔보는 투로 이야기를 한 것도 아니라는 거예요. 그분이 하신 말은, 사실 이 시모어란 인간이, 그분 의견으로는 잠재적 동성애자이고 기본적으로 결혼을 두려워한다는 것이었어요. 내 말은요, 그분이 그걸 험하게 말씀하셨다거나 하지는 않았다는 거예요. 그냥—뭐랄까—이지적인 사람이 그냥 이야기를 들려주듯이 말했다는 거죠. 그러니까 그분은 아주 오랫동안 자기 정신분석을 한 분이잖아요."

들러리는 실스번 부인을 보았다.

"그건 뭐 비밀도 뭣도 아니에요. 내 말은요, 어차피 페더 부인이 스스로 다 이야기할 테니까 내가 비밀을 누설하거나 하는 것은 아니라는 거죠."

"나도 그건 알고 있어요."

실스번 부인이 얼른 대꾸했다.

"그 사람은 절대—"

"내 말은, 그분은 확실하다 싶지 않은데 아무 데나 나서서 말을 할 사람이 아니라는 거죠. 그분은 만일 가없은 뮤리얼이 그렇게—뭐랄까—그렇게 기운을 그런 모습만 아니었다면 절대, 절대 먼저 그런 말씀을 하시지는 않았을 거예요. 정말이지, 그 가없은 아이를 꼭 보셨어야 했는데."

그녀는 완강하게 고개를 저었다.

물론 이쯤에서 들러리가 했던 말의 취지에 대한 나의 전반적인 반응을 이야기하는 게 도리일 것이다. 그러나 독자들만 괜찮다면, 일단은 그냥 넘어가는 것이 좋겠다.

"또 무슨 말을 했죠?"

실스번 부인이 물었다.

"리아가 말이에요. 달리 무슨 말이 없던가요?"

나는 실스번 부인을 보지 않았다. 들러리에게서 눈을 뗄 수가 없었기 때문이다. 그러나 언뜻 실스번 부인이 그 질문을 하면서 들러리의 무릎 위에 올라앉다시피 한다는 엉뚱한 느낌을 받았다.

"없었어요. 거의 아무 말도 없었어요."

들러리는 생각에 잠긴 표정으로 고개를 저었다.

"그러니까, 내가 말한 대로 가엾은 뮤리얼이 그렇게 얼이 빠질 정도로 속상해하지만 않았다면 페더 부인은 아무 말도 하지 않았을 거예요. 사람들이 그렇게 주위에 서 있고 그랬는데 말이에요."

그녀는 다시 재를 털었다.

"페더 부인이 딱 한 가지 더 이야기한 것이 있다면, 그건 이 시모어라는 인간이 정말로 분열적 성격을 갖고 있다는 것, 따라서 제대로 보기만 한다면, 일이 이렇게 된 게 오히려 뮤리얼에게 잘 된 일일 수도 있다는 것, 그 정도예요. 내가 보기에는 말이 되는 얘기예요. 하지만 뮤리얼도 그렇게 생각할지는 모르겠어요. 그 인간이 뮤리얼의 혼을 완전히 빼났기 때문에 그애는 자기가 오는지 가는지도 모르는 형편이거든요. 그것 때문에 내가 그렇게—"

그녀의 말은 중단되었다. 나 때문이었다. 내 기억으로 몹시 화가 났을 때는 늘 그렇듯, 내 목소리는 떨리고 있었다.

"대체 무슨 근거로 페더 부인은 시모어가 잠재적 동성애자고 분열적 성격이라는 결론을 내린 거죠?"

모든 눈 — 모두 탐조등처럼 보였다 — 들러리의 눈, 실스번 부인의 눈, 심지어 중위의 눈까지도 갑자기 나를 향했다.

"뭐라고요?"

들러리가 날카로운 목소리로 나에게 되물었다. 희미하게 적대감이 느껴졌다. 다시 언뜻, 내가 시모어와 형제라는 것을 그녀가 알고 있다는 생각이 뇌리를 스쳐가며 짜증이 났다.

"페더 부인이 무슨 근거로 시모어가 잠재적 동성애자고 분열적 성격이라고 생각하냐는 겁니다."

들러리는 나를 물끄러미 바라보더니, 큰 소리로 코웃음을 쳤다. 그녀는 실스번 부인을 바라보더니 한껏 비꼬는 투로 호소했다.

"오늘 같은 계책을 쓰는 인간을 정상이라고 할 수 있겠어요?"

그녀는 눈썹을 치켜올리더니 부인의 대답을 기다렸다.

"있겠어요?"

그녀는 조용히, 조용히 물었다.

"솔직히 말씀해보세요. 난 그냥 물어보는 거예요. 이분을 위해서요."

실스번 부인은 아주 부드럽고, 아주 공정하게 대답했다.

"아뇨, 물론 그렇게 말할 수 없겠죠."

갑자기 차에서 뛰어내려 어느 쪽으로든 달려가고 싶은 격렬한 충동을 느꼈다. 하지만 내 기억에 따르면, 나는 그대로 보조좌석에 앉아 있었고, 들러리는 다시 나에게 말했다.

"이보세요."

그녀는 마치 선생이 늘 볼품없이 코를 흘리고 다니는 덜떨어진 아이한테 하듯이 짐짓 참을성 있는 말투로 말했다.

"댁이 사람들에 대해서 얼마나 많이 아는지는 모르겠어요. 하지만 제정신을 가진 사람이라면 어떻게 결혼하기로 한 하루 전날 밤에 약혼녀를 밤새 잠도 못 자게 하면서 자기는 너무 행복해서 결혼을 못 하겠다느니, 마음이 차분해질 때까지 결혼을 연기해야 한다느니, 아니면 자기는 결혼식에 올 수 없다느니 하는 말을 할 수가 있어요? 그러고 나서, 약혼녀가 마치 어린애한테 하듯, 모든 게 다 준비되었고 몇 달 전부터 계획된 것이다, 아버지가 피로연이니 뭐니 준비하느라고 엄청난 비용과 수고를 들였다, 친척과 친구들이 전국에서 올 것이다, 하고 설명을 했는데, 그러고 나서, 그런 설명을 다 들은 뒤에 그 인간은 그애한테 정말 미안하지만 덜 행복해지기 전에는 결혼을 할 수 없다느니 하는 얼빠진 소리를 했어요! 이제 괜찮으시다면 머리를 좀 써보세요. 그게 정상적인 사람이 하는 말처럼 들려요? 제정신을 가진 사람이 하는 말처럼 들리냐고요?"

이제 그녀의 목소리는 날카로워지고 있었다.

"아니면 어디 정신병원에 처박혀 있어야 할 사람이 하는 말처럼 들리나요?"

그녀는 아주 엄한 표정으로 나를 쳐다보았다. 내가 방어든 항복이든 얼른 대꾸를 하지 않자 그녀는 무겁게 자기 자리에 주저앉으며 남편에게 말했다.

"담배 한 대 더 줘. 이걸 더 피우다간 손을 데겠어."

그녀가 남편에게 불을 끄지 않은 꽁초를 건네주자, 남편이 대신 꺼주었다. 그는 담뱃갑을 다시 꺼냈다.

"당신이 불 좀 붙여줘. 난 힘이 없어."

그녀가 말했다.

실스번 부인이 헛기침을 했다.

"내가 보기에는, 이게 다 불행을 가장한 축복으로—"

"부인한테 묻겠어요."

들러리는 새로 힘을 얻어, 남편한테서 불을 붙인 담배를 받아 드는 동시에 말했다.

"그게 정상적인 사람, 정상적인 인간이 한 이야기처럼 들리나요? 아니면 여태 철이 안 들었거나, 아니면 완전히 얼이 빠져서 미쳐 날뛰는 미치광이가 한 이야기처럼 들리나요?"

"어머나, 무슨 말을 해야 할지 정말 모르겠군요. 내가 듣기에는 그저 모든 것이 불행을 가장한 축복처럼 —"

들러리가 갑자기 바짝 긴장해서 앞으로 다가앉으며 코에서 연기를 내뿜었다.

"좋아요, 그건 신경 쓰지 마세요. 그 얘긴 잠시 그만 하죠. 그 얘긴 됐어요."

그녀는 실스번 부인에게 말하고 있었지만, 사실 실스번 부인의 얼굴을 통해 나에게 말을 하고 있는 셈이었다.

"— 를 본 적 있으신가요? 영화에서 말이에요."

그녀가 물었다.

그녀가 말한 이름은 당시에 상당히 널리 알려져 있던 — 1955년인 현재 아주 유명한 — 여배우 겸 가수의 예명이었다.

"네."

실스번 부인은 관심을 가지고 얼른 대꾸하고는 다음 말을 기다렸다. 들러리는 고개를 끄덕였다.

"좋아요. 혹시 그 여자 웃음이 약간 비뚤어졌다는 걸 눈치 채셨나요? 그러니까 꼭 얼굴 한쪽으로만 웃음을 짓는 것처럼 보인다는 것 말이에요. 그건 금방 눈에 띄는 —"

"그래요. 네, 나도 봤어요!"

부인이 대답했다.

들러리는 담배를 빨면서 알아차리기 힘들 정도로 슬쩍 나를 건너다보았다.

"흠, 그게 무슨 부분 마비래요."

그녀는 한마디 할 때마다 연기를 조금씩 내뿜었다.

"어쩌다 그렇게 되었는 줄 아세요? 이 정상적인 시모어라는 인간이 그 여자를 때리는 바람에 얼굴을 아홉 바늘이나 꿰맸다는 거예요."

그녀는 팔을 뻗어(아마 더 나은 무대용 동작이 없어서 그렇게 하는 것 같았다) 다시 재를 떨었다.

"그 이야기를 어디서 들으셨는지 물어봐도 될까요?"

내 입술은 바보처럼 약간씩 떨리고 있었다.

"돼요."

그녀는 내가 아니라 실스번 부인을 바라보며 대답했다.

"뮤리얼의 어머니가 두 시간 전, 뮤리얼이 눈이 빠져라 울고 있을 때 말한 거예요."

그녀는 나를 쳐다보았다.

"이거면 댁의 질문에 대한 답이 되었나요?"

그녀는 갑자기 오른손에 있던 치자꽃 부케를 왼손으로 옮겨쥐었다. 그것은 내가 본 그녀의 동작 중에서 평범한 사람들이 초조

할 때 보여주는 동작에 가장 근접하는 것이었다.

"그런데, 그냥 알려드리고 싶어서 하는 얘긴데."

그녀가 나를 보며 말했다.

"내가 당신이 누구라고 생각하는지 알아요? 나는 댁이 이 시모어라는 인간의 동생이라고 생각해요."

그녀는 아주 잠시 기다리더니, 내가 아무 말도 하지 않자 말을 이어갔다.

"댁은 그 인간을 닮았어요. 그 인간의 얼빠진 사진에서 본 모습과 말이에요. 그리고 공교롭게도 나는 그 인간의 동생이 결혼식에 오기로 했다는 걸 알고 있었지 뭐예요. 그 인간의 누이인가 뭔가가 뮤리얼에게 그렇게 말했대요."

그녀는 흔들리지 않는 눈길로 나를 뚫어져라 바라보며 무뚝뚝하게 물었다.

"맞죠?"

대답을 하는 내 목소리가 약간 갈라졌던 것 같다.

"네."

얼굴이 달아올랐다. 하지만 나의 정체를 둘러싼 모호함이 앞서 오후에 기차에서 내린 이후 그 어느 때보다도 현격히 감소했다고 말할 수도 있다.

"그럴 줄 알았어요. 알겠지만 난 바보가 아니에요. 나는 댁이 이

차에 타는 순간부터 누구인지 알아봤어요."

그녀는 남편을 돌아보았다.

"저 사람이 이 차에 탈 때부터 내가 그 인간 동생이라고 말하지 않았어? 그랬지?"

중위는 앉은 자세를 약간 바꾸었다.

"글쎄, 당신은 저 사람이 어쩌면—그래, 당신이 그랬어. 당신이 그랬어. 맞아."

실스번 부인이 이런 상황 전개에 얼마나 큰 관심을 기울이고 있는지는 굳이 그쪽을 보지 않아도 알 수 있는 일이었다. 나는 그녀를 지나 그녀 뒤쪽의 다섯째 승객, 작은 노인을 슬그머니 바라보았다. 그의 고립된 상태가 여전히 그대로인지 보려는 것이었다. 역시 그대로였다. 어떤 사람의 무관심이 그때만큼 나에게 위로가 된 적은 없었다.

들러리가 다시 나에게 말했다.

"그냥 알려드리고 싶어서 하는 이야기인데, 나는 댁의 형이 수족 전문의가 아니라는 것도 알고 있어요. 그러니 웃기는 짓 하려고 들지 말아요. 나는 공교롭게도 댁의 형이 오십 년인가 얼마인가 동안 〈지혜로운 아이로군요〉의 빌리 블랙이었다는 것도 알고 있으니까."

실스번 부인이 갑자기 대화에 더 적극적으로 참여했다.

"라디오 프로그램 말이에요?"

그녀가 강렬한 관심을 가지고 새삼스럽게 나를 바라보는 것을 느낄 수 있었다.

들러리는 대답하지 않았다.

"댁은 누구였죠? 조지 블랙이었나요?"

그녀의 목소리에는 무례와 호기심이 섞여 있었다. 마음이 놓일 정도는 아니었지만, 어쨌든 흥미로웠다.

"조지 블랙은 내 동생 월트였습니다."

나는 그녀의 두번째 질문에만 대답했다.

그녀는 실스번 부인을 돌아보았다.

"무슨 비밀인지 뭔지 모르겠지만, 이 사람하고 이 사람 형 시모어는 가명인지 뭔지로 그 라디오 프로그램에 나갔어요. 블랙 집안 아이들이었죠."

"진정해, 여보. 진정하라고."

중위가 약간 신경질적으로 말했다. 중위의 부인은 중위를 돌아보았다.

"나는 진정하지 않을 거야."

내 모든 의식적인 선호와 관계없이 그녀의 기질, 확실하게 밀고 나갈 거면 밀고 나가고 아니면 아닌 그 기질에 대한 감탄에 가까운 느낌이 다시 찾아왔다.

"이 사람 형은 아주 똑똑했다더군, 나 원 참. 열네 살인지 얼만지에 대학에 들어가고, 뭐 그랬대. 하지만 만일 오늘 그 인간이 그애한테 한 짓이 똑똑한 거라면, 나는 마하트마 간디다! 상관없어. 나한테는 그저 역겨울 뿐이니까!"

바로 그때 나는 불편함이 약간 더 늘어난 듯한 느낌을 받았다. 누군가 내 얼굴의 왼쪽, 즉 더 자신 없는 쪽을 꼼꼼하게 살펴보고 있었다. 실스번 부인이었다. 내가 불쑥 그녀 쪽으로 고개를 돌리자 그녀는 깜짝 놀랐다.

"이런 거 물어봐도 될지 모르지만, 혹시 버디 블랙이었나요?"

그녀의 목소리에는 어떤 경의 같은 것이 묻어 있었다. 나는 순간적으로 그녀가 사인해달라고 모로코 가죽으로 장정한 수첩과 만년필을 내밀지도 모른다고 생각했다. 이런 생각이 스쳐지나가자 몹시 불안해졌다. 다른 것은 몰라도 그때는 1942년으로, 나의 상업적 전성기가 이미 구 년에서 십 년 정도 지난 시기였기 때문이다.

"내가 그걸 묻는 이유는, 내 남편이 하루도 빠짐없이 그 프로그램을 듣곤 했기 —"

"혹시 관심이 있을지 모르겠지만,"

들러리가 실스번 부인의 말을 자르고는 나를 보았다.

"그 프로그램은 내가 라디오에서 가장 혐오하던 프로그램이었어요. 나는 조숙한 애들을 혐오해요. 나한테 만일 그런 애가 있다면—"

그러나 나머지 말은 들을 수가 없었다. 귀청을 찢고 귀가 먹어버리게 할 듯한 아주 불순한 E 플랫 음이 그녀의 말을 사정없이 잘라버렸기 때문이다. 차 안에 있던 우리는 모두 말 그대로 펄쩍 뛰었던 것 같다. 해양 소년단원인 듯한 백 명 남짓한 아이들로 이루어진 고적대가 앞을 지나갔다. 소년들은 거의 범죄에 가까운 자유분방한 해석으로 〈성조기여 영원하라〉를 치받듯 연주하기 시작했다. 실스번 부인은 분별 있게 두 손으로 귀를 막았다.

몇 초가 영원처럼 느껴졌다. 그 소음은 믿을 수 없을 정도로 컸다. 오직 들러리의 목소리만이 그 위로 솟아오를 수 있었다. 정확히 말해서, 그런 시도를 할 만한 사람도 그녀뿐이었다. 그녀의 말은 아주 먼 곳에서, 예컨대 양키 스타디움 외야석 어딘가에서 있는 힘껏 우리를 향해 소리치는 것처럼 들렸다.

"이건 참을 수 없어! 여기를 빠져나가 전화를 할 수 있는 데로 가요! 가서 뮤리얼한테 늦는다고 전화를 해줘야 돼요! 아니면 그 애는 미칠 거예요!"

실스번 부인과 나는 눈앞에 벌어진 아마겟돈을 놓치지 않으려고 앞쪽을 보고 있다가, 지도자, 아니 어쩌면 우리의 구원자일지도 모르는 사람을 보려고 다시 고개를 돌렸다.

"79번가에 가면 슈라프츠*가 있어요!"

그녀는 실스번 부인을 향해 고함을 질렀다.

"가서 소다수나 마시기로 해요. 거기 가면 전화도 할 수 있으니까! 거긴 적어도 냉방은 돼 있을 거예요!"

실스번 부인은 열심히 고개를 주억거리며, 입으로 "네!" 하는 모양을 만들어 보였다.

"댁도 따라와요!"

들러리는 나에게 소리쳤다.

아주 묘한 일이지만, 나도 모르는 사이에 전혀 할 필요가 없는 말이었음에도 "좋습니다!" 하고 마주 소리를 질렀던 기억이 난다 (들러리가 배를 버리자는 권유를 하는 데 나까지 포함시켰던 이유는 지금도 이해하기가 쉽지 않다. 어쩌면 다른 이유에서가 아니라, 타고난 지도자로서 천성적 질서 감각 때문이었는지도 모른다. 상륙 부대에 결원을 내고 싶지 않다는 막연하지만 강박적인 충동 같은 것을 느꼈는지도…… 내가 유달리 제꺽 초대를 받아들인 까닭은 훨씬 쉽게 설명할 수 있을 것 같다. 나는 그것이 기본적으로 종교적인 충동이라고 생각하고 싶다. 어떤 선사(禪寺)에서

---

* 미국 편의점 상표.

는 한 수도자가 다른 수도자에게 "어이!" 하고 외치면, 인사를 받은 수도사는 생각할 것도 없이 무조건 "어이!" 하고 마주 외치는 것이 핵심적인 규칙 ─ 유일하게 강요하는 진지한 규율까지는 아니라 해도 ─ 이라고 한다).

이어 들러리는 고개를 돌려, 처음으로 자기 옆의 작은 노인에게 직접 말을 걸었다. 노인은 자신의 개인적 풍경 안에서는 추호의 변화도 없었다는 듯이 계속 앞만 뚫어져라 바라보고 있었는데, 그 모습은 나에게 변함없는 만족을 주었다. 불을 붙이지 않은 깨끗한 아바나 시가를 여전히 두 손가락 사이에 끼우고 있었다. 노인이 지나가는 고적대의 끔찍한 소음에 전혀 신경을 쓰는 것 같지 않았기 때문인지, 아니면 여든이 넘은 노인들은 모두 귀머거리이거나 청력이 아주 나쁘다는 냉혹한 관념에 물들었기 때문인지 들러리는 그의 왼쪽 귀에 입을 바짝 갖다댔다.

"우리는 차에서 내릴 거예요!"

그녀는 소리쳤다. 입이 그의 귀 속으로 들어갈 것 같았다.

"전화를 걸 만한 데를 찾아갈 거예요! 시원한 것도 좀 마시려고요! 같이 가실래요?"

노인의 즉각적인 반응은 화려하다고 해도 좋았다. 노인은 먼저 들러리를 보더니, 나머지 사람들을 보았고, 이어 싱긋 웃었다. 도대체 의미를 알 수 없는 웃음이었는데, 그것 때문에 그 빛나는 웃음의 가치가 떨어지지는 않았다. 또 그의 치아가 명백히, 아름답게, 초월적으로 가짜였어도 마찬가지였다. 노인은 아주 짧은 순간, 놀랍게도 웃음은 그대로 머금은 채 뭔가 묻고 싶은 표정으로 들러리를 보았다. 아니, 어떤 기대감을 가지고 그녀를 본 것인지도 모르겠다. 마치 들러리, 또는 우리 중 누군가 노인에게 소풍 바구니라도 전해주려는 기쁜 계획을 가지고 있다고 믿는 듯하다는 느낌이 들 정도였으니까.

"저 노인네가 당신 말을 알아들은 것 같지 않은데, 여보!"

중위가 소리쳤다.

들러리는 고개를 끄덕이고, 다시 한번 확성기 같은 입을 노인의 귀에 바짝 갖다댔다. 들러리는 정말 칭찬이 절로 나올 만한 음량으로 차에서 내려 우리와 함께 가자는 초대를 되풀이했다. 이번에도 노인은, 그 표정으로만 볼 때는 세상의 어떤 제안에라도 흔쾌히 동의할 것 같았다. 원하기만 한다면 종종걸음으로 이스트 강까지 가서 물에 한 번 들어갔다 나오기라도 할 것 같았다. 그러나 이번에도 역시 노인이 자기한테 한 말을 한마디도 못 알아들었다는 불안한 느낌에 사로잡힐 수밖에 없었다. 노인은 불쑥 그것이 사실임을 증명해 보였다. 노인은 우리 집단 전체를 향해 함죽 웃으며 시가를 든 손을 들어올리더니, 한 손가락으로 먼저 입을, 이어 귀를 의미심장하게 두드렸다. 다른 사람이 아닌 그 노인이 그런 동작을 해서인지, 그 동작은 그가 우리 전부와 함께 나누고 싶어하는 무슨 최고급의 농담과 관계 있는 것처럼 느껴졌다.

순간 내 옆에 있던 실스번 부인이 눈에 띄게 알겠다는 표시를 했다. 거의 펄쩍 뛰다시피 했으니까. 부인은 들러리의 분홍색 새 틴 천에 둘러싸인 팔을 치더니 소리쳤다.

"이분이 누군지 알겠어요! 이분은 귀머거리에 벙어리예요— 농아라고요! 이분은 뮤리얼 아버지의 숙부예요!"

들러리의 입술이 "아!" 하는 모양을 만들었다. 그녀는 앉은 채로 몸을 빙글 돌려 남편에게 고함을 질렀다.

"종이하고 연필 있어?"

나는 그녀의 팔을 치고 나한테 있다고 소리쳤다. 나는 서둘러—어쩐 일인지 우리 모두 곧 시간이 바닥날 것 같은 느낌이었다— 저고리 안주머니에서 얼마 전 포트베닝의 우리 중대 사무실 책상 서랍에서 손에 넣은 작은 수첩과 몽당연필을 꺼냈다.

나는 종이 위에 어색할 정도로 크고 바른 글씨체로 써나갔다.

"퍼레이드 때문에 길이 막혀 언제 뚫릴지 모르겠습니다. 전화 있는 데를 찾아가서 시원한 음료수라도 마실 생각입니다. 함께 가시겠습니까?"

나는 종이를 한 번 접어 들러리에게 건네주었다. 들러리는 종이를 펼치고 내용을 읽더니 노인에게 전해주었다. 노인은 내용을 읽더니 싱긋 웃음을 짓고 나서, 나를 보며 고개를 여러 번 힘차게 위아래로 끄덕였다. 나는 순간적으로 그것이 그의 답을 최대한 웅변적으로 표현한 것이라 생각했으나, 노인은 갑자기 나에게 손짓을 했다. 나는 노인이 수첩과 연필을 달라는 것이라고 짐작했다. 나는 그렇게 했다. 들러리 쪽은 보지 않았지만, 보지 않아도 그녀 쪽에서 짜증의 파장이 크게 물결치기 시작했다는 것을 알 수 있었다. 노인은 아주 조심스럽게 무릎 위에 수첩을 올려놓더니, 집중한 자세로 잠시 연필을 든 채 그대로 가만히 있었다. 웃음도 약간의 자취만 남긴 채 사라져버렸다. 이어 연필이 아주 불안정하게 움직이기 시작하더니, 마무리를 하듯 손에 힘이 들어가는 것이 느껴졌다. 노인은 수첩과 연필을 나에게 직접 건네주면서, 다시 아주 다정하게 고개를 끄덕여 보였다. 노인이 건네준 수첩에는 아직 완전히 굳지 않은 듯한 느낌이 드는 글씨로 "기꺼이"라는 한 단어가 적혀 있었다. 들러리는 내 어깨 너머로 그것을 보더니 희미하게 코웃음 치는 듯한 소리를 냈다. 그러나 나는 얼른 이 위대한 작가를 건너다보면서, 차 안에 있는 우리가 모두 시를 보면 그것이 시라는 것을 알아보는 사람들로서, 그가 시를 적어준 것에 대해 감사하고 있다는 뜻을 표정으로 이야기하려 했다.

우리는 양쪽 문을 통해 한 사람씩 차에서 내렸다. 말하자면 매디슨 가 한복판에서, 녹아서 발바닥에 달라붙는 아스팔트의 바다에서 배를 버린 셈이었다. 중위는 잠시 뒤에 남아서 기사에게 우리의 반란을 통보했다. 고적대는 여전히 끝이 보이지 않았으며, 소음은 조금도 줄지 않았던 기억이 지금도 뚜렷하게 남아 있다.

들러리와 실스번 부인이 앞장서서 슈라프츠로 향했다. 그들은 이인조가 되어—마치 앞서 나간 정찰대처럼—남쪽으로 방향을 잡고 매디슨 가의 동쪽 보도를 걸어갔다. 중위는 기사에게 브리핑을 마친 후 그들을 따라잡았다. 아니, 거의 따라잡을 뻔했다. 그러고는 지갑을 꺼내보기 위해서 그들보다 약간 뒤처진 곳에 혼자 발길을 멈추었다. 지갑에 돈이 얼마나 있는지 보려는 것 같았다.

신부 아버지의 숙부와 나는 맨 뒤에 처졌다. 노인은 내가 자기 친구라고 직감적으로 느꼈기 때문인지, 아니면 내가 수첩과 연필의 소유자였기 때문인지, 내 옆자리로 어쩔 수 없이 끌려오게 되었다라기보다는 적극적으로 그 자리를 차지했다. 아름다운 실크 해트의 꼭대기는 내 어깨 높이에도 이르지 못했다. 나는 노인의 다리 길이를 존중하여 일부러 느린 속도로 걸었다. 한 블록이 끝날 때쯤 다른 사람들과의 거리는 상당히 멀어지게 되었다. 그렇다고 우리가 거기에 신경을 쓴 것은 아니다. 우리는 걸어가다가 이따금 상대방을 아래위로 훑어보곤 했으며, 그때마다 백치 같은 표정으로 함께 걷는 즐거움을 표현했던 기억이 난다.

내 길동무와 내가 79번가 슈라프츠의 회전문에 이르렀을 때,

들러리, 그녀의 남편, 실스번 부인은 그 자리에서 몇 분 동안 서서 기다리고 있었다. 그들이 가까이 다가가기 힘든, 셋만 똘똘 뭉친 집단이 되어버렸다는 느낌이 들었다. 그들은 이야기를 하고 있었으나, 초라한 우리 두 사람이 다가가자 입을 다물었다. 불과 몇 분 전, 고적대가 시끄러운 소리를 내며 지나가는 동안 차 안에 함께 있을 때만 해도 공동의 불편, 거의 공동의 괴로움에 가까운 것 때문에 우리 소집단에는 친화관계 비슷한 것이 형성되었다. 폼페이에서 심한 폭풍우를 만나게 된 쿡*의 여행객들이 일시적으로 맛볼 수 있는 친화감과 비슷한 것이었다. 그런데 이제 작은 노인과 내가 슈라프츠의 회전문에 도착해보니, 폭풍우가 이제 끝났다는 것을 분명히 알 수 있었다. 들러리와 나는 인사가 아니라 서로 알은체하는 표정만 주고받았다.

"개조 공사 때문에 문을 닫았어요."

그녀는 나를 보며 차갑게 말했다. 그녀는 비공식적이지만 착각의 여지를 주지 않은 채 나를 패거리에서 따돌려야 할 사람으로 취급하고 있었다. 그 순간, 딱히 따져볼 만한 이유도 없이 나는 그날 하루 종일 느꼈던 것보다 더 심한 고립감과 외로움이 밀려오는 것을 느꼈다. 그와 거의 동시에 기침 발작이 다시 일어났던 것은

---

* 19세기 영국의 여행 안내업자.

주목할 만한 일이다. 나는 뒷주머니에서 손수건을 꺼냈다. 들러리는 실스번 부인과 자기 남편을 돌아보았다.

"이 근처 어딘가에 롱상이 있을 거예요. 하지만 정확히 어디인지는 모르겠어요."

"나도 모르겠어요."

실스번 부인이 대답했다. 곧 울 것 같은 표정이었다. 두꺼운 화장을 뚫고 이마와 코 밑에서 땀이 배어나오고 있었다. 그녀는 왼쪽 겨드랑이에 검은 에나멜을 끼고 있었다. 핸드백을 마치 아끼는 인형처럼 꼭 끌어안고 있었는데, 그런 그녀의 모습은 시험 삼아 연지와 분을 바르고 집에서 뛰쳐나온 아주 슬픈 아이처럼 보였다.

"무슨 수를 써도 택시를 잡을 수는 없을 거야."

중위가 비관적으로 말했다. 그도 후줄근한 옷 때문에 추레해 보였다. 그의 "으뜸 조종사" 모자는 전혀 용맹스러워 보이지 않았고 땀이 뚝뚝 떨어지는 창백한 얼굴에는 잔인할 정도로 어색해 보였다. 나는 모자를 그의 머리에서 벗겨버리든가, 아니면 약간 덜 비뚤어진 모습으로 바로잡아주든가 하고 싶은 충동을 느꼈다. 아이들이 모여 생일잔치를 열 때면 한쪽 또는 양쪽 귀가 다 덮이도록 종이 모자를 눌러쓰고 있는 작고 아주 못생긴 아이가 반드시 하나쯤은 있는데, 내가 중위를 보고 느낀 충동은 전체적인 동기에서 보자면 그런 아이를 보면서 느끼는 충동과 비슷했다고 할 수 있다.

"내 참, 뭐 이런 날이 다 있어!"

들러리가 우리 전부를 대변해서 말했다. 조화로 만든 그녀의 동그란 머리 장식은 약간 비뚤어져 있었고, 그녀는 완전히 땀에 젖어 있었다. 그럼에도 나는 그녀에게서 정말로 약해 보이는 것은 오직 하나, 그녀에게서 가장 멀게 느껴지는 부속물인 치자꽃 부케뿐이라는 생각이 들었다. 그녀는 멍한 상태인 것 같은데도 여전히 손에 부케를 들고 있었다. 그러나 부케가 지금까지의 시련을 제대로 감당하지 못하고 있다는 것은 분명해 보였다.

"이제 어떻게 하죠?"

그녀답지 않게 약간 필사적으로 들리는 목소리였다.

"거기까지 걸어갈 수는 없어요. 리버데일까지 가야 한단 말이에요. 뭐 좋은 생각 있는 사람 없어요?"

그녀는 먼저 실스번 부인, 이어 자기 남편을 보았다. 그러고 나서, 아마 필사적인 기분 때문이었겠지만 나도 쳐다보았다.

"나한테 이 근처에 아파트가 있습니다."

내가 갑자기 신경질적으로 말했다.

"다음 블록입니다."

나는 약간 큰 소리로 그 정보를 전달했던 것 같다. 어쩌면 소리를 질렀는지도 모른다.

"형하고 내 겁니다. 우리가 군에 가 있는 동안 여동생이 쓰고 있었죠. 하지만 지금은 거기 없어요. 해군 예비부대에 입대했는데, 지금은 무슨 일로 출장을 갔습니다."

나는 들러리를 보았다. 아니, 그녀 머리 너머의 한 지점을 보았다.

"원하신다면 거기서 전화 정도는 할 수 있을 겁니다. 그리고 냉방기도 있어요. 잠깐 땀을 식히면서 숨을 돌릴 수 있을 겁니다."

나의 초대로 인한 첫 충격파가 지나가자 들러리, 실스번 부인, 중위는 무슨 회의 같은 것을 했다. 눈으로만. 그러나 평결이 어떻게 나올 예정이라는 눈에 띄는 표시는 없었다. 제일 먼저 행동을 취한 사람은 들러리였다. 그녀는 그 문제에 대한 의견을 구하기 위해 다른 두 사람을 바라보고 있었다. 그래도 소용이 없자 나를 돌아보며 말했다.

"거기 전화가 있다고 그랬죠?"

"네. 여동생이 무슨 이유로 끊지 않았으면 있을 겁니다. 내가 보기에는 그랬을 만한 이유도 없고요."

"댁의 형이 거기 있을지도 모르잖아요."

들러리가 말했다. 내 과열된 머리에는 미처 떠오르지 않았던 생각이었다.

"아마 없을 겁니다. 있을 수도 있죠. 거긴 형의 아파트이기도 하니까요. 하지만 없을 겁니다. 정말 없을 거예요."

들러리는 잠시 나를 뚫어져라 바라보았다. 노골적인 행동이었다. 그렇다고 꼭 무례했다는 것은 아니다. 어린애들이 뚫어져라 바라보는 것을 무례하다고 하지 않듯이. 이윽고 그녀는 남편과 실스번 부인을 향해 고개를 돌리더니 말했다.

"가는 게 낫겠어요. 전화라도 할 수 있으니까요."

그들은 동의하는 뜻으로 고개를 끄덕였다. 실스번 부인은 슈라프츠 앞에서 받은 초대에 대응할 만한 에티켓을 기억해내기까지 했다. 햇볕에 익은 그녀의 두꺼운 화장 사이로 에밀리 포스트*의 웃음을 닮은 것이 나를 향해 비어져나왔다. 내 기억으로는 아주 반가워하는 미소였던 것 같다.

"그럼 가요. 이 태양에서 벗어나자고요."

우리의 지도자가 말했다.

"이건 어떻게 하지?"

그녀는 다른 사람들의 대답을 기다리지 않았다. 연석으로 걸어가더니 사무적인 태도로 시든 치자꽃 부케를 내던져버렸다.

"좋아, 앞장서요, 맥더프**. 우리는 댁을 따라갈 테니까. 내가 하고 싶은 말은 우리가 거기 갔을 때 그 인간이 거기 없는 편이 좋

---

* 에티켓 권위서인 『에밀리 포스트의 에티켓』의 저자.
** 셰익스피어의 『맥베스』에 나오는 맥베스의 적.

을 거라는 거예요. 아니면 그 자식을 죽이게 될 테니까."

그녀는 실스번 부인을 보았다.

"심한 말 해서 죄송해요. 하지만 진심이에요."

나는 명령받은 대로 앞장을 섰다. 거의 행복한 기분이기까지
했다. 잠시 후 내 옆 허공, 왼쪽 한참 아래에 실크해트가 나타났
다. 이윽고 특별하지만 엄밀히 말하자면 공식적으로 지정되지는
않은 나의 동료가 나를 올려다보며 싱긋 웃었다. 순간적으로 그
가 내 손 안에 자기 손을 집어넣을 것만 같았다.

*

내가 잠깐 아파트 안을 살피는 동안 세 명의 손님과 한 명의 친
구는 바깥 복도에 서 있었다.

창문은 모두 닫혀 있었고, 두 대의 냉방기 단추는 '꺼짐'에 맞
춰져 있었다. 안에 들어가 처음으로 숨을 들이쉬자, 마치 누군가
의 낡은 너구리 코트 호주머니에 깊숙이 코를 갖다대고 들이마시
는 기분이었다. 아파트 전체에서 유일하게 들리는 소리는 시모어
와 내가 중고로 사들인 낡은 냉장고가 약간 떨리면서 가르릉거리
는 소리였다. 여동생 부 부가 여자아이답게, 해군답게, 냉장고를

켜두고 간 것이다. 사실 아파트 전체에는 배를 타는 숙녀가 그곳을 점거했음을 보여주는 깔끔하지 못한 작은 흔적들이 수없이 널려 있었다. 긴의자에는 작고 예쁘장한 감청색 소위 제복 저고리가 아무렇게나 놓여 있었는데, 안감이 밑으로 늘어져 있었다. 긴의자 앞의 커피 탁자 위에는 루이스 셰리 사탕 상자가 뚜껑이 열린 채 놓여 있었는데, 상자의 반은 비어 있었고, 남겨진 사탕에는 시험 삼아 조금씩 눌러본 자국이 남아 있었다. 책상 위에는 내가 한 번도 본 적이 없는, 아주 단호해 보이는 젊은 남자의 사진이 든 액자가 놓여 있었다. 눈에 보이는 모든 재떨이는 구겨진 화장지와 립스틱이 묻은 담배꽁초 때문에 꽃이 만개한 것처럼 보였다. 나는 부엌, 침실, 목욕탕에는 들어가보지 않았다. 혹시 시모어가 어딘가에 꼿꼿하게 서 있는 것은 아닌가 보려고 잠깐 문만 열고 들여다보았을 뿐이다. 몸에 기운이 없어 움직이기가 귀찮았기 때문이기도 했다. 또 블라인드를 올리고, 냉방기를 켜고, 쓰레기가 가득한 재떨이를 비우느라 무척 바빴기 때문이었다. 게다가 다른 일행이 거의 즉시 밀어닥쳤다.

"여기는 길거리보다 더 덥네."

들러리가 안으로 들어오면서 인사 삼아 말했다.

"금방 갈게요. 이 냉방기가 켜지지를 않아서요."

실제로 '켜짐' 단추가 말을 듣지 않아, 나는 연신 그 단추를 주물

럭거리고 있었다.

내가 냉방기 단추를 만지는 동안—모자를 쓴 채였던 것 같다—다른 사람들은 약간 수상쩍다는 표정으로 방 안을 돌아다녔다. 나는 한쪽 눈 가로 그들을 지켜보았다. 중위는 책상 앞으로 가더니 멈춰 서서, 책상 바로 위 1제곱미터 정도의 공간을 올려다보았다. 형과 나는 누가 봐도 금방 눈치 챌 수 있는 감상적인 이유 때문에 그곳에 광택이 나는 가로 세로 8~10인치 크기의 사진들을 압정으로 잔뜩 붙여놓았다. 실스번 부인은 하나뿐인 팔걸이의자에 앉았다. 아마 어쩔 수 없었을 것이다. 그 의자는 내 죽은 보스턴 테리어가 즐겨 잠을 자던 곳으로, 더러운 코듀로이 천으로 덮인 팔걸이는 개가 악몽을 꾸는 동안 가차 없이 침으로 범벅을 만들고 씹어놓던 것이었다. 신부 아버지의 숙부—나의 훌륭한 친구—는 완전히 사라져버린 것 같았다. 들러리 역시 갑자기 어딘가로 가버린 듯했다.

"금방 마실 것을 갖다드리겠습니다."

나는 불안한 목소리로 말했다. 손으로는 여전히 냉방기의 스위치를 힘으로라도 움직이려고 애쓰고 있었다.

"차가운 것이면 좋겠네요."

귀에 익은 목소리가 들렸다. 고개를 완전히 돌렸을 때에야 들러리가 긴의자 위에 몸을 쭉 뻗고 있는 모습이 보였다. 그래서 홀연히 자취를 감춘 것처럼 보였던 것이다.

"곧 댁의 전화를 쓸 거예요. 하지만 이런 상태로는 전화에 대고 말을 할 수가 없어요. 입 안이 바싹 말랐거든요. 혀에 물기가 하나도 없어요."

갑자기 냉방기가 윙 하는 소리를 내며 돌아가기 시작했다. 나는 방 한가운데, 긴의자와 실스번 부인이 앉아 있는 팔걸이의자 사이의 공간으로 갔다.

"마실 게 뭐가 있는지 모르겠습니다. 냉장고를 열어보지는 않았지만, 내 생각에는—"

"아무거나 가져와요."

긴의자에 앉은 영원한 대변인이 내 말을 잘랐다.

"목만 좀 축이게 해줘요. 차가운 걸로."

그녀의 구두 굽은 여동생의 저고리 소매 위에 올라가 있었다. 그녀는 가슴 위로 팔짱을 끼고, 머리 밑에는 베개를 받치고 있었다.

"얼음이 있으면 그것도 좀 넣고."

그녀는 그렇게 말하고 나서 눈을 감았다. 나는 잠깐 그녀를 내려다보았고, 순간적이지만 살의를 느꼈다. 나는 몸을 굽히고, 가능한 한 눈치 못 채게 부부의 저고리를 그녀의 발밑에서 끄집어냈다. 나는 방을 나가 주인으로서 잡무를 이행하려 했다. 그러나 막 발을 떼려는 순간 중위가 책상 건너편에서 말했다.

"이 사진들은 다 어디서 난 거요?"

나는 곧장 중위에게 갔다. 나는 여전히 챙이 달린 지나치게 큰 작업모를 쓰고 있었다. 미처 그것을 벗을 생각이 나지 않았던 것이다. 나는 책상으로 가 그의 옆, 그러나 약간 뒤쪽에 서서 벽의 사진들을 올려다보았다. 나는 그것이 대부분 시모어와 내가 출연하던 시절, 〈지혜로운 아이로군요〉에 나왔던 아이들을 찍은 옛 사진들이라고 대답했다.

중위는 나를 돌아보았다.

"그게 뭐지? 나는 처음 듣는데. 아이들 퀴즈 쇼였나? 물어보고 대답하고 그러는 것?"

군대 계급이 약간이지만 슬며시, 그러나 교활하게 그의 목소리에 스며들어가 있었다. 틀림없었다. 그는 내 모자를 보고 있는 것 같았다.

나는 모자를 벗고 말했다.

"그렇지는 않습니다."

갑자기 가문의 값싼 자존심이 약간 치솟았다.

"시모어 형이 거기 나가기 전에는 그랬죠. 그리고 형이 그 프로그램을 떠난 뒤에는 대체로 다시 그런 쪽으로 돌아갔습니다. 하지만 형은 쇼의 형식을 완전히 바꾸어놓았습니다. 프로그램을 아이들의 원탁 토론 같은 것으로 바꾸어놓은 거죠."

중위는 약간 지나치다 싶을 정도의 관심을 품고 나를 보았다.

"당신도 거기 나갔소?"

"네."

들러리가 방 건너편에서 눈에 보이지 않는 먼지가 낀 긴의자 구석에 틀어박힌 채 말했다.

"내 자식이 그런 미친 프로그램에 나가기만 해봐라. 연기니 뭐니 하는 건 절대 시키지 않을 거야. 정말이지, 내 자식을 사람들 앞에서 자기 과시나 하는 녀석으로 만드느니 차라리 죽는 게 낫지. 그런 것이 애들 인생 전체를 비틀어버린다고. 다른 건 몰라도, 명성이니 뭐니 하는 것 때문에라도. 정신과 의사를 붙들고 한번 물어봐. 내 말은, 그렇게 해가지고서야 어떻게 정상적인 유년 시절이나 그런 걸 누릴 수가 있겠느냐는 거야."

그녀의 머리가 갑자기 눈앞에 튀어올랐다. 머리에 쓴 조화 장식은 완전히 비뚤어져 있었다. 그녀의 머리는 마치 몸통에서 떨어져나온 것처럼 긴의자 뒤 좁은 통로의 허공에 뜬 채 중위와 나를 바라보고 있었다.

"어쩌면 댁의 형도 그게 문제였을지도 몰라."

그 머리가 말했다.

"어렸을 때 그렇게 기형적이기 짝이 없는 생활을 하게 되면, 제대로 어른이 되지 못하는 게 아주 당연하지 않냐는 거예요. 정상적인 사람들은 말할 것도 없고, 어떤 것하고도 절대 제대로 된 관계를 맺을 수가 없죠. 두 시간 전에 그 정신 사나운 침실에서 페더 부인이 한 이야기가 바로 그거예요. 바로 그거야. 댁의 형은 누구하고도 제대로 관계를 맺을 수가 없게 된 거야. 아마 할 줄 아는 일이라고는 돌아다니면서 사람들 얼굴에 꿰맨 자국이나 만들어놓는 게 다일걸. 그 사람은 결혼은커녕, 반쯤 정상적인 일이라면 무엇을 한다 해도 완전 부적격이라고. 내 참. 맞아, 페더 부인이 한 이야기가 바로 그거야."

이어서 머리는 중위를 노려볼 수 있을 만큼만 방향을 틀었다.

"내 말이 맞죠, 밥? 페더 부인이 그런 말을 했어요, 안 했어요? 사실대로 말해봐요."

그 말에 대답을 한 사람은 중위가 아니라 나였다. 입이 바짝 말랐고, 사타구니는 축축했다. 나는 페더 부인이 시모어의 문제에 대해 무슨 말을 했든, 염병할, 전혀 개의치 않는다고 말했다. 아니, 어떤 전문적인 딜레탕트가 무슨 말을 했건, 아니면 어떤 아마추어 년이 무슨 말을 했건 나는 시모어가 열 살 때부터, 전국의 모든 최우등 사상가나 지성적인 남자 화장실 담당 웨이터들과 언쟁을 해왔다고 말했다. 나는 만일 시모어가 그저 아이큐나 조금 높을 뿐 자기 과시나 하는 골치 아픈 놈이었다면 상황이 달랐을 것이라고 말했다. 나는 그가 한 번도 자기 과시를 한 적이 없다고 말했다. 그는 매주 수요일 밤이면 마치 자기 장례식에 가듯이 방송을 하러 갔습니다. 버스나 지하철을 타고 가는 길 내내, 정말이지, 그 누구하고도 이야기조차 하려 하지 않았어요. 나는 선심 쓰는 체하던 그 모든 4류 비평가들과 칼럼 필자들 중에 염병할 단 한 명도 그의 진짜 모습을 본 적이 없다고 말했다. 정말이지, 시인이란 말입니다. 시인이라니까요. 시는 한 줄도 쓴 적이 없지만, 원하기만 하면 지금도 속에 있는 것을 힘 하나 안 들이고 척척 써낼 수 있단 말입니다.

다행히도 나는 거기서 말을 중단했다. 내 심장은 쿵쾅거리며 뭔가 무시무시한 것을 내보내고 있었다. 대부분의 우울증 환자와 마찬가지로, 내 머릿속에는 사람들이 그런 말을 하다가 종종 심장마비를 일으킨다는 겁나는 생각이 잠깐 스쳐지나갔다. 지금도 내 돌연한 폭발에, 내가 그들을 향해 쏟아부은 악담의 오염된 물줄기에 내 손님들이 어떤 반응을 보였는지 전혀 모르겠다. 그 후에 내가 의식하게 된 첫째 외적 현실은 누구의 귀에나 익숙한 배관 소리였다. 그 소리는 아파트의 다른 부분에서 들려왔다. 나는 갑자기 인접한 손님들의 얼굴들 사이와 너머, 그 뒤로 방을 살펴보았다.

"노인네는 어디 계시지요? 그 자그마한 노인네 말입니다."

그렇게 말하는 내 입 안에서는 버터도 녹지 않을 것 같았다.

대답이 나오기는 했는데, 이상하게도 들러리가 아니라 중위의
입에서 나왔다.

"욕실에 있는 것 같소."

아주 솔직한 말투였기 때문에, 그 말을 한 사람이 일상의 위생상
의 행동에 대해 내숭을 떠는 사람이 아니라는 것을 알 수 있었다.

"아."

나는 약간 멍한 표정으로 다시 방을 둘러보았다. 내가 의도적
으로 들러리의 무시무시한 눈을 피하려 했는지는 기억도 나지 않
고, 기억하고 싶지도 않다. 방 건너편에 수직의 높은 등받이가 달
린 의자 위에 놓인, 신부 아버지 숙부의 실크해트가 눈에 띄었다.
나는 그 모자를 향해 큰 목소리로 안녕하시냐고 인사하고픈 충동
을 느꼈다.

"차가운 걸 가지고 오겠습니다. 금방 올 겁니다."

내가 말했다.

"전화 좀 써도 돼요?"

내가 긴의자 옆을 지나려는데 들러리가 갑자기 말을 던졌다.
그녀는 바닥에 발을 내려놓고 있었다.

"네―네, 물론입니다."

나는 실스번 부인과 중위를 바라보았다.

"레몬이나 라임이 있으면 톰 콜린스를 좀 만들어볼까 합니다.

괜찮겠습니까?"

중위가 갑자기 유쾌하게 대꾸하는 바람에 나는 깜짝 놀랐다.

"가져오쇼."

그러면서 그는 진짜 술꾼처럼 두 손을 비볐다.

실스번 부인은 책상 위의 사진들을 살피다 말고 나에게 말했다.

"톰 콜린스를 만들 거라면, 미안한데, 내 것에는 진을 아주 조금만 섞어줘요. 들어간 듯 안 들어간 듯하게. 너무 수고스럽지만 않다면 말이에요."

거리를 벗어난 지 얼마 되지 않았지만 그녀는 벌써 약간 회복이 된 듯 보였다. 켜놓은 냉방기에서 몇 걸음 떨어지지 않은 곳에 서 있었고, 시원한 바람이 그녀 쪽으로 불어가고 있었던 것도 한 원인이었을 것이다. 나는 그녀의 말대로 마실 것을 준비해보겠다고 말하고, 그녀를 1920년대 말, 1930년대 초 라디오 계의 소소한 "유명인사들", 우리 유년 시절의 한물간 수많은 작은 얼굴들 사이에 남겨두고 떠났다. 중위 역시 내가 없어도 혼자 힘으로 잘 꾸려나갈 수 있을 것 같았다. 그는 벌써 외로운 감식가처럼 뒷짐을 지고 서가 쪽으로 움직이고 있었다. 들러리는 나를 따라 방을 나오며 하품을 했다. 그녀는 입 안이 다 들여다보이는 시끄러운 하품을 참으려 하지도, 남의 눈에 안 보이게 가리려 하지도 않았다.

들러리가 나를 따라 전화가 있는 침실 쪽으로 향하는데, 신부 아버지의 숙부가 복도 맞은편에서 우리에게 다가왔다. 그의 얼굴은 차를 타고 오는 내내 나를 속인 그 사나운 표정을 다시 유지하고 있었다. 그러나 우리 쪽으로 다가오면서 그 가면은 거꾸로 바뀌었다. 그는 우리 둘에게 몸짓으로 아주 기운차게 인사했다. 나는 어느새 그에 부응하여 무절제하게 싱글거리며 고개를 끄덕이고 있었다. 그의 성긴 흰 머리는 새로 빗은 듯했다. 아니, 새로 감은 것처럼 보였다. 아파트 맞은편 끝에서 숨겨진 작은 이발소라도 발견해낸 듯했다. 그가 우리 옆을 지나갈 때, 나는 뒤돌아보고 싶은 충동을 느꼈다. 실제로 그렇게 하자, 그가 나에게 힘차게 손을 흔들고 있는 모습이 보였다. 여행 잘하라고, 얼른 돌아오라고 그는 큰 몸짓으로 손을 흔들었다. 그것을 보자 몸에 기운이 솟았다.

"저 노인네 왜 저래? 미쳤나?"

들러리가 말했다. 나는 그렇기를 바란다고 하면서, 침실 문을 열었다.

그녀는 트윈베드 한쪽에 무겁게 주저앉았다. 공교롭게도 시모어의 침대였다. 전화기는 쉽게 손이 닿는 침대 옆 탁자 위에 있었다. 나는 그녀에게 마실 것을 금방 갖다주겠다고 말했다.

"괜찮아요. 금방 나갈 테니까 문이나 닫아줘요. 괜찮다면⋯⋯ 다른 뜻이 있는 게 아니라, 문이 닫혀 있지 않으면 전화 통화를 못하는 성격이라서 그래요."

나는 나도 똑같은 성격이라고 말하고 방을 나서려 했다. 그러나 두 침대 사이의 공간에서 몸을 막 돌리는 순간, 침대 옆 의자 위에 캔버스 천으로 만든 작은 접이식 배낭이 눈에 띄었다. 처음에는 내 것인 줄 알았다. 기적이 일어나 그것이 펜 역에서부터 아파트까지 제 발로 걸어서 도착한 것이라고 생각했다. 둘째로 든 생각은 그것이 부 부의 배낭이라는 것이었다. 나는 배낭 쪽으로 걸어갔다. 지퍼가 열려 있었다. 내용물의 맨 위를 보는 순간 나는 임자를 알 수 있었다. 현재 상황을 고려해가면서 다시 배낭을 보았을 때, 세탁한 담갈색 여름 군복 두 벌 위에 들러리와 같은 방 안에 그냥 놔두어서는 안 될 것이 보였다. 나는 그것을 배낭에서 꺼내 겨드랑이에 끼고 들러리에게 남매처럼 손을 흔들었다. 그녀는 벌써 돌리려던 번호의 첫째 구멍에 손가락을 집어넣고 내가 문을 닫으며 나가주기를 기다리고 있었다.

나는 잠시 침실 밖의 고맙게도 아무도 없는 복도에 혼자 서서 시모어의 일기를 어떻게 할지 생각했다. 얼른 고백하자면, 내가 캔버스 배낭 꼭대기에서 집어온 물건이 그것이었다. 머릿속에 처음 떠오른 건설적인 생각은 그것을 손님들이 떠날 때까지 감추어두자는 것이었다. 목욕탕으로 가져가 빨래 바구니에 넣어두는 것이 좋을 듯했다. 그러나 다시, 훨씬 더 복잡하게 생각해본 끝에, 그것을 목욕탕으로 가져가 일부 읽은 다음에 바구니에 넣어두기로 했다.

그날은 맹세코, 기호와 상징이 만연한 날이었을 뿐 아니라, 문자로 씌어진 말을 통하여 아주 광범위한 의사소통이 이루어진 날이기도 했다. 사람 많은 차에 올라타게 되면, 그 차 안의 동료가 놓아일 경우를 대비하여 운명이 수고롭게도 미리 당신 주머니에 수첩과 연필을 넣어두는 식이다. 이런 날은 목욕탕에 들어가게 되면, 세면대 위 높은 곳에 희미하게나마 묵시록적 의미를 지닌 메시지 같은 것이 씌어 있는지 확인해보는 게 좋다.

어렸을 때 우리집에는 오랫동안 목욕탕이 딱 하나였는데, 우리 일곱 형제자매 사이에서는 축축한 비누 조각으로 약장 문에 달린 거울에다 서로에게 전할 메시지를 남기는 관습—넌더리나기는 하지만 꽤나 유용한—이 있었다. 우리가 전하는 메시지의 일반적인 주제는 보통 꽤 강한 책망으로 쏠리는 경향이 있었고, 노골적인 협박이 되는 경우도 드물지 않았다. "부 부, 수건을 썼으면 집어들어. 바닥에 그냥 두지 마. 사랑을 담아, 시모어." "월트, 네가 Z와 F*를 공원에 데리고 갈 차례야. 나는 어제 했어. 내가 누구인지 알아맞혀봐." "수요일은 그분들 기념일이야. 방송 끝난 뒤에 영화관에 가거나 스튜디오에서 미적거리지 마. 아니면 벌금이야.

＊ 주이와 프래니.

너도 마찬가지야, 버디." "어머니가 그러는데 주이가 피놀락스를 먹을 뻔했대. 싱크대 위에 조금이라도 독성이 있는 건 남겨두지 마. 주이 손에 닿으면 먹게 되니까." 이는 물론 우리의 유년에서 그대로 끄집어낸 예이다. 세월이 흘러 시모어와 나는 독립이니 뭐니 하는 명분으로 갈래를 쳐서 우리만의 아파트를 구했지만, 가족의 오랜 관습으로부터는 명목상의 독립만 했을 뿐이었다. 즉 우리는 비누 조각을 던져버리지 못했다는 것이다.

시모어의 일기를 겨드랑이에 끼고 목욕탕 안으로 들어가 조심스럽게 문을 닫았을 때, 나는 거의 즉시 메시지를 발견했다. 그러나 그것은 시모어의 글씨가 아니라, 틀림없이 누이동생 부 부의 글씨였다. 비누로 쓰든 다른 것으로 쓰든, 부 부의 글씨는 늘 알아볼 수 없을 정도로 작았다. 따라서 다음과 같은 긴 메시지도 거울 위에 어렵지 않게 다 적어놓을 수가 있었다.

"목수들아, 대들보를 높이 올려라. 키 큰 남자보다 훨씬 더 키가 큰 신랑이 아레스*처럼 들어온다.** 사랑을 담아, 전(前) 엘리시움*** 스튜디오 전속 작가 어빙 사포가. 오빠의 아름다운 뮤리얼과 꼭 행복해야 돼, 행복해야 돼, 행복해야 돼. 이건 명령이야. 나

---

* 그리스 신화에 나오는 전쟁의 신.
** 그리스 여성시인 사포(BC 612~?)의 시 「신부의 노래」 중 한 부분.
*** 그리스 신화의 이상향.

는 이 동네 누구보다도 계급이 높거든."

한 가지 말해둘 것은, 글 가운데 인용된 전속 작가는 우리 가족의 모든 아이들에게 언제나 가장 인기가 높았다는 사실이다. 연령에 따라 적절한 시차를 두고 나타나는 현상이기는 했지만. 그것은 주로 시에 대한 시모어의 취향이 우리 모두에게 측량할 수 없는 영향을 주었기 때문이다. 나는 그 인용문을 읽고 또 읽었다. 그러고 나서 욕조 가장자리에 주저앉아 시모어의 일기를 펼쳤다.

*

다음은 시모어의 일기 중 내가 욕조 가장자리에 앉아서 읽은 몇 페이지를 그대로 옮겨놓은 것이다. 일기의 날짜를 각각 빼놓아도 내 눈에는 아주 질서정연해 보인다. 모든 일기는 1941년 말과 1942년 초, 결혼 날짜가 잡히기 전 몇 달 동안 포트 몬머스에 있으면서 쓴 것이라고 말해두는 것만으로도 충분할 것 같다.

"오늘 저녁 귀대 열병식 때는 몹시 추웠다. '성조기'가 끝도 없이 연주되는 동안, 우리 소대에서만도 대여섯 명이 기절을 했다. 혈액순환이 제대로 되는 사람이라면 군대의 부자연스러운 차려 자세를 받아들일 수 없는 듯하다. 특히 무거운 소총을 받들어총 자세로 들고 있을 때는. 나한테는 혈액순환도 없고, 맥박도 없다. 부동(不動)은 나의 고향이다. '성조기'와 나의 템포는 완벽하게 서로 이해했다. 나에게는 '성조기'의 박자가 로맨틱한 왈츠였다.

열병식 뒤에 자정까지 외출증을 얻었다. 일곱시에 빌트모어에서 뮤리얼을 만났다. 술 두 잔, 잡화점에서 산 참치 샌드위치 두 개, 그리고 그녀가 보고 싶어하던 영화. 그리어 가슨이 나오는 영화였다. 그리어 가슨의 아들의 비행기가 작전중 실종되는 장면에서 나는 어둠 속에서 그녀를 몇 번 쳐다보았다. 그녀는 입을 벌리고 있었다. 영화에 완전히 몰두하여 근심스러운 표정이었다. 메트로-골드윈-마이어 사(社)에서 만든 비극과 완벽하게 동일시를 이루고 있었다. 나는 경외감과 행복을 느꼈다. 상상력이 모자라는 그녀의 마음을 내가 얼마나 사랑하고 또 필요로 하는지. 그녀는 영화 속의 아이들이 새끼 고양이를 가져와 어머니에게 보여주는 장면에서 나를 쳐다보았다. M은 새끼 고양이를 사랑했고,

나 역시 그것을 사랑하기를 바랐다. 그녀는 자기가 사랑하는 것을 내가 자동적으로 사랑하지 않을 때 나에게서 낯선 느낌을 받곤 했는데, 나는 어둠 속에서 그녀가 또 그런 느낌을 받고 있다는 것을 알 수 있었다.

나중에 역에서 술을 한잔할 때 그녀는 나에게 그 고양이가 좀 '괜찮지' 않더냐고 물었다. 그녀는 이제 "귀엽다"라는 말을 사용하지 않는다. 내가 그녀에게 겁을 주어 그녀의 평상시 어휘를 쫓아낸 적이 있었던가? 나는 원래 따분한 사람이므로, 감상(感傷)에 대한 R. H. 블라이스*의 정의를 들려주었다. 우리가 어떤 것에 대해 신(神)이 본래 부여한 상냥함보다 더 상냥한 마음일 때 우리는 감상적이 된다는 것이다. 신은 틀림없이 새끼 고양이를 사랑하겠지만, 고양이 발에 테크니컬러** 색감의 털실 양말을 신길 가능성은 전혀 없다. 신은 그런 창의적인 손질은 시나리오 작가들에게 맡겨둔다라고 나는 말했다.(너무 단정적이었나?) M은 내 이야기를 곰곰 생각해보더니, 결국 내 말에 동의하는 것 같았다. 그러나 그녀는 '지식'을 별로 환영하지 않았다. 그녀는 술을 휘젓

---

* 레지널드 호레이스 블라이스(1898~1964). 미국 번역가로 일본 하이쿠를 영어로 옮기는 데 뛰어난 재능을 보였다.
** 1930년대에 탄생한 할리우드 초기 컬러영화 기법. 화려한 원색적 색감이 특징이다.

고 앉은 채, 나에게 거리감을 느끼고 있었다. 그녀는 나에 대한 자신의 사랑이 오가는 방식, 나타나고 사라지는 방식을 두고 늘 걱정을 한다. 그녀는 사랑이 새끼 고양이처럼 늘 꾸준한 즐거움을 주지 않는다는 이유로 사랑의 현실성을 의심한다. 사랑이 정말 슬픈 일임을 신은 안다. 인간의 목소리는 세상 모든 것의 신성함을 모독할 음모를 꾸민다."

*

"밤에 페더 가족의 집에서 저녁식사. 아주 좋았다. 송아지 고기, 으깬 감자, 리마콩, 기름과 식초를 끼얹은 아름다운 그린 샐러드. 후식으로는 뮤리얼이 직접 만든 것이 나왔다. 얼린 크림치즈 비슷한 것이었는데, 위에는 나무딸기를 얹었다. 그 후식 때문에 눈물이 나왔다. (사이교*는 말한다, '그것이 무엇인지는 내 모르나/그래도 감사하는 마음에/눈물이 흘러내린다.') 탁자의 내 쪽에 케첩이 한 병 놓여 있었다. 아마 뮤리얼이 페더 부인에게 내가 모든 음식에 케첩을 쳐 먹는다고 말한 듯하다. M이 자기 어머니

---

* 西行(1118~1190).일본의 옛 승려이자 시인.

한테 내가 꼬투리째 먹는 콩에도 케첩을 쳐 먹는 사람이라고 변호하듯이 말하는 모습을 볼 수 있다면 어떤 짓이라도 했을 텐데. 나의 소중한 여인.

저녁식사 후 페더 부인은 그 프로그램을 듣자고 제안했다. 그 프로그램, 특히 버디와 내가 출연하던 옛날 프로그램에 대한 그녀의 열광, 그녀의 노스탤지어 때문에 나는 불안하다. 오늘 밤에는 하고많은 장소 중에 하필이면 샌디에이고 근처 해군의 어느 비행장에서 방송을 했다. 지나치게 많은 현학적인 질문과 답변들. 프래니의 목소리는 코감기에 걸린 듯했다. 주이는 아주 원기왕성했다. 아나운서는 화제를 주택개발 문제로 유도했다. 버크라는 성을 가진 어린 여자애는 모두 똑같아 보이는 집은 싫다고 말했다. 똑같이 길게 늘어선 '주택단지' 집들이 싫다는 뜻이었다. 주이는 그런 집들이 '좋다'고 했다. 자기 집인 줄 알고 들어갔는데 엉뚱한 남의 집이면 아주 좋을 것이라는 말이었다. 실수로 엉뚱한 사람들과 식사를 하고, 실수로 엉뚱한 침대에서 자고, 아침에 자기 가족이라고 생각하고 모든 사람과 입맞추며 인사를 하는 것. 주이는 심지어 세상 모든 사람이 똑같이 생겼으면 좋겠다고까지 말했다. 만나는 모든 사람이 자기 부인이나 어머니나 아버지라고 생각하게 될 것이고, 그러면 사람들은 어디 가나 서로 늘 껴안을 테니까 '아주 좋다'는 것이었다.

나는 저녁 내내 견딜 수 없을 정도로 행복했다. 모두 함께 거실에 앉아 있는 동안 뮤리얼과 그녀의 어머니 사이의 친숙함이 아주 아름답게 느껴졌다. 그들은 서로의 약점, 특히 대화시의 약점들을 알고 있어서 눈으로 그 약점들을 집어냈다. 페더 부인의 눈은 뮤리얼의 '문학'에 대한 대화시의 취향을 감시하고 있었고, 뮤리얼의 눈은 그녀의 어머니가 수다스럽게 말이 많아지는 경향을 감시하고 있었다. 둘이 말다툼을 할 때도 영원한 불화의 위험은 있을 수 없다. 그들은 모녀간이니까. 무시무시하면서도 아름다운 현상을 구경한 셈. 그러나 그렇게 황홀하게 앉아 있다가도 페더 씨가 대화에 좀더 적극적이었으면 하고 바랄 때가 있다. 때로는 그가 필요하다는 느낌이 든다. 사실 가끔 현관에 들어설 때면, 마치 여자 둘만 있는 단정치 못하고 세속적인 수녀원에 들어가는 듯한 느낌이 든다. 가끔 그 집을 나올 때면, M과 그녀의 어머니가 립스틱, 루즈, 헤어네트, 탈취제 등이 담긴 작은 병과 튜브를 내 호주머니에 잔뜩 채워넣은 것 같다는 묘한 느낌을 받기도 한다. 나는 그들에게 엄청나게 고마움을 느끼지만, 그들의 보이지 않는 이 선물은 어떻게 해야 할지 모르겠다."

*

"오늘 저녁에는 귀대 후에 바로 외출증을 받지 못했다. 부대를 찾아온 영국 장군이 사열을 하는 동안 누군가 소총을 떨어뜨렸기 때문이다. 5시 52분 차를 놓쳐 뮤리얼과의 약속에 한 시간 늦었다. 58번가의 런파에서 저녁식사. M은 저녁식사 내내 까탈스러웠고 눈물을 잘 흘렸다. 정말로 속이 상했고, 몹시 두려워하고 있었다. 그녀의 어머니는 내가 분열증적인 인간이라고 생각한다. 어쩌면 자기 정신분석의에게 나에 대한 이야기를 했을지도 모르고, 의사 역시 그녀 말에 동의했을지 모른다. 페더 부인은 뮤리얼에게 우리 가족 중에 정신병자가 있는지 신중하게 알아보라고 했다. 뮤리얼은 순진하기 때문에 내 손목의 상처가 어쩌다가 생겼는지 자기 어머니에게 이야기한 것 같다. 가엾고 착한 여자. 그러나 M이 하는 말로 보건대, 그녀의 어머니가 정말로 신경을 쓰고 있는 것은 손목의 상처보다는 다른 두어 가지 일인 것 같다. 아니 세 가지 일이다.

하나, 내가 사람들과 거리를 두고 잘 사귀지 못한다는 점. 둘, 내가 뮤리얼을 유혹하지 않았기 때문에 내게 뭔가 '잘못된' 구석이 있는 듯 보인다는 점. 셋, 페더 부인은 어느 날 밤 내가 저녁식사 자리에서 죽은 고양이가 되고 싶다고 말한 것 때문에 며칠이나 시달린 게 분명하다는 점. 그녀는 지난주 저녁식사 자리에서 나더러 제대하면 무엇을 할 거냐고 물었다. 같은 대학에서 가르치는 일을 계속할 건가요? 가르치는 일로 돌아가기는 할 건가요? 무슨 '논평가' 같은 것이 되어 라디오로 돌아갈 생각을 하는 것은 아닌가요? 내가 보기에는 전쟁이 영원히 계속될 듯하며, 만에 하나 평화가 다시 올 경우 분명히 말할 수 있는 것은 죽은 고양이가 되고 싶다는 생각뿐이라고 나는 대답했다. 페더 부인은 내가 농담을 한다고 생각했다. 세련된 농담을. 그녀는 뮤리얼의 이야기를 듣고 내가 무척 세련되었다고 생각한다. 나의 무시무시하도록 진지한 발언이 가볍게 음악적인 웃음을 터뜨려서 아는 체를 해주어야 하는 그런 농담이라고 생각했다. 그녀가 웃음을 터뜨리는 바람에 나는 주의가 약간 산만해졌던 것 같다. 그래서 내 발언을 설명하는 것을 잊고 말았다. 오늘 밤 뮤리얼에게 선불교에 보면 한 선사(禪師)가 세상에서 가장 귀중한 것이 무엇이냐고 물은 적이 있다는 이야기를 해주었다. 선사는 죽은 고양이가 답이라고 했다. 죽은 고양이에게는 값을 매길 수가 없다는 것이 그 이유였다. M은 안도했다. 그러나 어서 집에 가서 내가 했던 발언이 아무 해로울 것 없는 말이라고 어머니를 안심시키고 싶어 안달하는 것이 눈에 보였다. 그녀는 나와 함께 역까지 택시를 타고 갔다. 그녀는 무척 다정했다. 그리고 처음 만났을 때보다 기분도 훨씬 좋았다. 그녀는 내게 미소 짓는 법을 가르쳐준다고 하면서, 손가락으로 내 입가의 근육을 펴곤 했다. 그녀가 웃음을 터뜨리는 것을 보면 얼마나 아름다운지. 아, 정말이지, 나는 그녀와 함께 있어 무척 행복하다. 그녀도 나와 함께 있어 더 행복할 수 있다면. 나는 가끔 그녀를 즐겁게 해준다. 그녀는 내 얼굴과 손과 뒤통수를 좋아하는 것 같고, 친구들에게 〈지혜로운 아이로군요〉에 오랫동안 출연했던 빌리 블랙과 약혼했다고 말하면서 엄청난 만족을 얻는다. 그리고 그녀는 나에게 모성적 요소와 성적 요소가 결합된 충동을 느낀다는 생각이 든다. 그러나 대체로 나는 그녀를 진정으로 행복하게 해주지는 못한다.

오, 하느님, 도와주소서. 한 가지, 무시무시하면서도 위로가 되는 사실은 내 연인이 결혼이라는 제도 자체에 대해 영원하며, 근본적으로 정도를 벗어나지 않는 애정을 품고 있다는 것이다. 그녀의 근원적인 욕구는 영원한 소꿉장난을 하고 싶다는 것이다. 그녀가 결혼으로 달성하려는 목표들은 아주 터무니없으면서도 감동적이다. 그녀는 새까맣게 일광욕을 한 뒤 아주 호화로운 호텔의 접수대 직원에게 남편이 우편물을 집어갔느냐고 묻고 싶어한다. 그녀는 커튼을 사고 싶어한다. 그녀는 임부복을 사고 싶어한다. 그리고 스스로 아는지 모르는지, 자기 어머니에게 애착을 느끼면서도 그 집에서 나오고 싶어한다. 그녀는 아이들을 원한다. 내가 아니라 자기를 닮은 잘생긴 아이들을 원한다. 또 그녀는 자기 어머니 것이 아닌, 자기의 크리스마스트리 장식물이 담긴 상자를 매년 열고 싶어하는 듯하다는 느낌이 든다.

오늘 버디에게서 아주 재미 있는 편지가 왔다. 그애가 취사반 근무를 끝낸 직후에 쓴 것이다. 나는 뮤리얼에 대한 이야기를 쓰면서 버디 생각을 한다. 버디는 내가 여기 적어놓은 그녀의 결혼 동기들을 본다면 그녀를 경멸할 것이다. 하지만 그것들이 경멸할 만한 것인가? 어느 면에서는 경멸해 마땅하다. 그러나 나에게는 그것들의 크기가 인간적인 것으로 보이고, 아름답게 느껴진다. 지금 이 글을 쓰면서도 그것을 생각하면, 깊고 깊은 감동이 밀려온다. 버디라면 뮤리얼의 어머니도 못마땅해하겠지. 그녀는 짜증을 돋우는 고집 센 여자다. 버디가 참지 못하는 유형이다. 아마 버디는 그녀를 있는 그대로 볼 수 없을 것이다. 사물, 모든 사물을 통하여 흘러다니는 시(詩)의 커다란 흐름을 평생 한 번도 이해하지도 느끼지도 못하는 사람. 차라리 죽는 게 낫겠지. 그래도 그녀는 계속 살아가면서 식품점 앞에서 발길을 멈추고, 정신분석가를 만나고, 매일 밤 소설을 읽고, 거들을 입고, 뮤리얼의 건강과 번영을 위한 계획을 짠다. 나는 그녀를 사랑한다. 나는 그녀가 상상할 수 없을 정도로 용감하다고 생각한다."

*

　"오늘 밤에는 전 중대가 자리를 지켜야 했다. 휴게실에서 전화를 쓰려고 꼬박 한 시간 동안 줄을 서 있었다. 내가 오늘 밤에 나갈 수 없다고 하자 뮤리얼은 약간 안심하는 것 같았다. 나는 그것이 재미있고 즐겁다. 다른 여자 같았으면, 정말로 약혼자 없는 하루 저녁을 원했다 해도, 전화를 할 때는 안타까움을 표하는 시늉이라도 했을 것이다. M은 내가 못 나간다고 하자 그냥 아, 하고만 말했을 뿐이다. 그녀의 소박함, 그녀의 무시무시한 정직함을 얼마나 숭배하는지. 내가 거기에 얼마나 기대고 있는지."

*

　"새벽 세시 삼십분. 중대 사무실이다. 잠을 잘 수가 없었다. 잠옷 위에 저고리를 걸치고 이곳으로 왔다. 앨 아스페시가 야간 근무자다. 그는 바닥에서 자고 있다. 내가 그 친구 대신 전화를 받아주면 여기 있어도 괜찮다. 대단한 밤. 페더 부인의 정신분석가가 저녁식사 자리에 와서 열한시 삼십분까지 이따금 나를 심문했다. 가끔은 뛰어난 기술과 지능도 보여주었다. 한두 번은 나도 모르게 그를 돕기도 했다. 아마 그는 버디와 나의 옛 팬이었나보다. 그는 내가 열여섯에 쇼에서 밀려난 이유에 대해 직업적으로뿐만 아니라 개인적으로도 관심을 가지는 것 같았다. 그는 링컨 관련 방송을 실제로 들었는데도, 내가 방송에서 게티즈버그 연설이 '아이들에게 나쁘다'고 말했다는 인상을 받았다. 그것은 사실이 아니다. 내가 한 말은, 그것이 아이들이 학교에서 필수적으로 암기하기에는 좋지 않은 연설이라는 것이었다. 나는 그에게 그렇게 말해주었다. 그는 또 내가 그것이 부정직한 연설이라고 말했다는 인상도 받았다. 그러나 내 말은 게티즈버그의 사상자가 5만 1112명이었으며, 누군가 그 사건의 기념일에 꼭 연설을 했어야 했다면, 그냥 나와서 청중을 향해 주먹을 흔들고 떠났어야 한다 — 연사가 정말로 정직한 사람이라면 — 는 것이었다. 나는 그점에 대해서도 그에게 말해주었다. 그는 내 의견에 반대하지 않았으나, 나에게 어떤 완벽주의 콤플렉스가 있다고 느끼는 듯했다. 그는 불완전한 삶을 사는 것의 장점, 자신과 다른 사람들의 약점을 받아들이는 것의 장점에 대해 많은 이야기를 했다. 아주 똑똑했다. 나는 그의 의견에 동의했지만, 그것은 이론적인 동의였을 뿐이다.

나는 세상이 망하는 날까지 차별하지 않는 태도를 옹호할 것이다. 그것이 건강함과 일종의 매우 현실적이고 부러워할 만한 행복을 가져다주기 때문이다. 순수하게 따르기만 한다면, 그것은 도

(道)의 길이며, 틀림없이 가장 높은 길이다. 그러나 차별하는 사람이 이것을 얻으려 한다면, 그는 스스로 시를 버리고, 시를 넘어서야 할 것이다. 억지로라도 나쁜 시를 좋은 시와 똑같다고 생각하게 되기는커녕, 추상적인 의미에서의 나쁜 시를 좋아하게 될 수도 없기 때문이다. 따라서 그는 시를 완전히 버려야 할 것이다. 나는 그것이 쉬운 일이 아닐 것이라고 말했다. 닥터 심스는 내가 그것을 너무 엄중하게 표현한다고, 오직 완벽주의자만이 표현하는 방식으로 표현한다고 말했다. 내가 그것을 부정할 수 있을까?

페더 부인은 그에게 초조한 표정으로 샬롯이 아홉 바늘을 꿰맸던 일에 대해 말한 것이 틀림없다. 오래 전에 끝난 일을 뮤리얼한테 말한 게 경솔했던 것 같다. 그녀는 모든 것을 자기 어머니에게 곧장 전달한다. 물론 나는 이의를 제기해야 하지만 그럴 수가 없다. M은 자기 어머니가 귀를 기울일 때에만 내 이야기를 들을 수 있다. 가엾어라. 그러나 나는 샬롯이 아홉 바늘 꿰맨 일을 심스와 이야기할 생각은 없었다. 딱 한 잔 마시고는 안 될 일이지.

오늘 밤에 역에서 M에게 조만간 정신분석가를 한번 찾아가보겠다고 대충 약속을 했다. 심스는 나에게 우리 부대에 있는 의사가 아주 좋다고 말했다. 그와 페더 부인이 그 문제를 놓고 한두 번 머리를 맞대고 상의한 것이 분명하다. 왜 나는 이 문제가 괴롭지 않은 것일까? 진짜로 괴롭지 않다. 오히려 재미있어 보인다. 까닭

없이 몸에 기운이 솟는다. 심지어 만화 신문에 나오는 평범한 장모들에게조차 늘 나는 희미하게 매력을 느껴왔다. 어쨌든 정신분석가를 만나본다고 해서 잃을 것은 없다. 군대에서 하게 되면 공짜일 것이다. M은 나를 사랑한다. 하지만 내 정신을 약간이라도 검사하기 전에는 절대 진정으로 나를 가깝게 느끼지는 못할 것이고, 나에게 익숙해지지 못할 것이고, 나에게 바보같이 굴지 못할 것이다.

내가 정신분석가를 만나러 가기 시작하게 되면, 그때는 제발 그가 선견지명을 가지고 그 자리에 피부과 의사도 동석시켰으면 좋겠다. 손을 전문으로 보는 사람을. 내 손에는 어떤 사람들을 만지다 생긴 상처 자국이 있다. 한번은 프래니가 아직 유모차를 타고 다닐 때 공원에서 그애의 정수리에 난 보드라운 머리카락에 손을 너무 오래 올려놓았던 적이 있다. 또 한번은 72번가의 로즈*에서 무서운 영화를 보다가 주이하고 그랬던 적이 있다. 그때 그애는 예닐곱 살쯤 되었을 것이다. 주이는 무서운 장면을 보지 않으려고 의자 밑으로 들어갔다. 그때 나는 그애의 머리에 손을 대고 말았다. 어떤 머리카락, 사람 머리카락의 어떤 색깔과 질감은 나에게 영원한 자국을 남긴다. 머리만이 아니다. 한번은 스튜디오

---

* 영화사 메트로-골드윈-마이어와 극장 체인을 소유했던 극장주 이름이자 극장 이름.

밖에서 샬롯이 나에게서 달아나려고 하길래, 그애가 도망가지 못하게 하려고 드레스를 잡은 적이 있다. 그애한테 너무 길었기 때문에 내가 아주 좋아하던 노란색 면 드레스였다. 어쨌든 내 오른쪽 손바닥에는 레몬색 자국이 지금까지 남아 있다. 오, 맙소사, 나에게 병명을 붙일 수 있다면, 나는 일종의 뒤집힌 편집증 환자라고 할 수 있을 것이다. 나는 사람들이 나를 행복하게 만들려는 음모를 짜고 있는 게 아닐까 하고 의심하곤 하니까."

*

"행복" 운운하는 말을 본 뒤에 일기를 덮은 기억이 난다. 쾅 소리가 나게 덮어버렸다. 그러고 나서 일기장을 겨드랑이에 낀 채 몇 분 동안 그대로 앉아 있었다. 욕조 가장자리에 너무 오래 앉아 있다 보니 마침내 몸이 불편해지기 시작했다. 자리에서 일어섰을 때, 나는 하루 중 그 어느 때보다 땀을 많이 흘리고 있었다. 욕조 가장자리에 앉았다 일어난 것이 아니라, 막 욕조 안에서 목욕을 하고 나온 것 같았다. 나는 빨래 바구니로 가서 뚜껑을 들어올리고 손목을 재빨리 움직여, 시모어의 일기를 바구니 바닥에 있던 시트와 베갯잇 속으로 던져버렸다. 이어 더 좋은, 더 건설적인 생각이 떠오르지 않아서 다시 욕조 가장자리에 앉았다. 나는 잠시 약장 거울에 적힌 부 부의 메시지를 보았다. 이윽고 목욕탕을 나오면서 지나치게 힘을 주어 문을 닫았다. 그렇게 하면 그 공간을 영원히 폐쇄해버릴 수 있기라도 한 것처럼.

나는 부엌으로 갔다. 다행히도 부엌은 복도 끝에 있었기 때문에 거실을 거쳐 가며 손님들을 마주하는 일을 피할 수 있었다. 부엌으로 들어가 용수철이 달린 문을 닫자, 저고리—군복 상의—를 벗어 에나멜 탁자에 던졌다. 저고리를 벗는 일 하나에도 에너지가 모두 소비되는 듯했다. 나는 티셔츠를 입은 채 잠시 서 있었다. 말하자면 마실 것을 만드는 초인적인 과제를 감당하기 전에 휴식을 취한 셈이었다. 이어 갑자기, 마치 벽에 뚫린 작은 구멍으로 감시당하고 있기라도 한 것처럼 갑자기 나는 찬장과 냉장고 문을 열고 톰 콜린스 재료를 찾기 시작했다. 재료는 모두 있었다. 라임 대신 레몬만 있는 것을 제외하고는 몇 분 지나지 않아 나는 약간 달달한 톰 콜린스를 한 주전자 만들었다. 이어 잔을 다섯 개 꺼낸 다음, 쟁반을 찾았다. 쟁반을 찾는 일은 힘이 들었고 또 시간도 오래 걸렸다. 마침내 하나를 찾아냈을 때는, 찬장 문을 여닫으면서 들릴 듯 말 듯 희미하게 신음을 토하기까지 했다.

저고리를 다시 입고 주전자와 잔들을 올린 쟁반을 들고 막 부엌을 나서려는 순간, 만화에서 등장인물에게 갑자기 아주 좋은 생각이 떠올랐다는 것을 보여줄 때처럼 머리 위에서 전구가 반짝 하고 켜지는 느낌이 들었다. 나는 쟁반을 바닥에 내려놓고 술 선반으로 다시 가서, 반쯤 차 있던 오분의 일 갤런들이 스카치 병을 내렸다. 나는 잔을 가져다가, 약간은 우발적이기도 했지만 적어도 7센티미터는 넘게 스카치를 따랐다. 나는 아주 잠깐 잔을 비판적으로 바라보다가, 믿음직한 서부영화의 주연 배우처럼 아무렇지도 않게 단숨에 잔을 비워버렸다. 이 일을 기록하는 지금도 몸이 오싹해온다는 것을 언급해두는 것이 좋겠다. 그때 내 나이 스물셋이었으니, 용감한 스물세 살짜리 바보가 그런 상황에서 했을 법한 일을 한 것이었는지도 모르겠다. 그러나 그렇게 간단하지만은 않았다. 나는 흔히 하는 말로 비(非)음주자다. 보통 위스키 30밀리리터만 마셔도 심한 구역질을 느끼거나, 아니면 이교도 사냥을 하듯이 방 안을 샅샅이 훑어보기 시작한다. 60밀리리터면 완전히 뻗어버린다고 한다.

그러나 이날은, 이렇게 줄여서 말해도 되는 것인지 모르겠지만, 평범한 날은 아니었다. 다시 쟁반을 집어들고 부엌을 나설 때도 나는 평소와는 달리 거의 즉시 다른 사람이 되는 듯한 변화를 일으키지 않았다. 뱃속에서 유례없을 정도의 열이 발생하는 것 같기는 했으나, 그뿐이었다.

술이 올려진 쟁반을 들고 나왔을 때 거실에 있던 손님들의 행동에는 아무런 상서로운 변화가 없었다. 다만 신부 아버지의 숙부가 그들과 재합류했다는 것이 신나는 일이었다. 그는 나의 죽은 보스턴 테리어가 좋아하던 낡은 의자에 편히 앉아 있었다. 짧은 다리를 꼬고 있었는데, 머리는 새로 빗었고, 육즙 자국은 전과 마찬가지로 매력적이었다. 그리고, 보라. 그의 시가에는 불이 붙어 있지 않은가. 우리는 그간의 간헐적인 이별이 갑자기 견딜 수 없을 정도로 길고 불필요하게 느껴지기라도 했는지, 평소보다 훨씬 더 반갑게 인사를 했다.

중위는 여전히 책꽂이 쪽에 가 있었다. 뽑아든 책의 책장을 넘기며 서 있었는데, 책에 완전히 몰입한 듯 보였다. (그것이 무슨 책인지는 알아내지 못했다.) 실스번 부인은 상당히 원기를 회복한데다가, 떡칠한 화장을 새로 손을 봐서 그런지 상쾌해 보이는 느낌마저 주었다. 그녀는 긴의자에 앉기는 했지만, 신부 아버지의 숙부로부터 가장 멀리 떨어진 곳에 자리 잡고 잡지를 넘기고 있었다.

"어마, 멋져라!"

그녀는 내가 커피 탁자에 막 내려놓은 쟁반을 보더니 파티에 온 사람 같은 목소리로 말했다. 그녀는 나를 쳐다보며 쾌활하게 웃음을 지어 보였다.

"안에 진을 아주 조금 넣었습니다."

나는 주전자 안을 휘저으며 거짓말을 했다.

"지금 이 안은 시원해서 아주 좋아요."

실스번 부인이 말했다.

"그런데 한 가지 물어봐도 될까요?"

그녀는 그 말과 함께 잡지를 옆에 놓더니 일어나서 긴의자를 빙 돌아 책상 쪽으로 갔다. 그녀는 팔을 뻗더니 벽에 걸린 사진 하나에 손가락 끝을 갖다댔다.

"이 아름다운 아이가 누구죠?"

그녀가 물었다. 냉방기가 문제없이 꾸준히 돌아가고 있는데다가 새로 화장을 할 여유까지 있었기 때문에, 그녀는 이제 뜨거운 태양 아래 79번가의 슈라프츠 앞에서 시들던 소심한 소녀가 아니었다. 그녀는 신부 할머니의 집 밖에서 내가 차 안으로 뛰어들었을 때, 내가 디키 브리갠저라는 사람 아니냐고 물었을 때 보여주었던 그 손대면 튕길 듯한 팽팽한 균형 상태를 드러내며 말하고 있었다.

나는 톰 콜린스가 든 주전자를 젓다 말고 긴의자를 돌아 그녀 곁으로 갔다. 그녀는 매니큐어 칠한 손톱을 〈지혜로운 아이로군요〉의 1929년도 출연진 사진에 갖다댔는데, 그중에서도 특히 한 아이를 지목하고 있었다. 우리는 원탁에 앉아 있었고, 아이들 앞에 마이크가 하나씩 놓여 있었다.

"이제까지 내 눈으로 이렇게 아름다운 아이는 본 적이 없어요. 이 여자애가 누구랑 좀 닮았는지 아세요? 눈매하고 입가요?"

실스번 부인이 말했다.

그 즈음에 스카치 가운데 일부 — 대략 70밀리리터 정도 — 가 약간 효력을 발휘하기 시작했다. 나는 하마터면 "디키 브리갠저" 라고 대답할 뻔했으나, 그래도 아직은 조심하려는 충동이 우세했다. 나는 고개를 끄덕인 다음, 앞서 들러리가 아홉 바늘 꿰맨 일과 관련하여 언급했던 여배우의 이름을 댔다.

실스번 부인은 나를 물끄러미 바라보았다.

"그 여자가 〈지혜로운 아이로군요〉에 나왔었나요?"

"이 년 정도 나왔죠. 그래요, 나왔습니다. 물론 본명으로요. 샬롯 메이휴로요."

중위가 내 뒤편 오른쪽에서 사진을 올려다보고 있었다. 샬롯의 예명이 흘러나오는 것을 듣고 궁금해서 책꽂이에서 우리 쪽으로 건너온 것이다.

"이 여자가 어릴 때 라디오에 나왔다는 것은 몰랐어요! 그건 몰랐어요! 어릴 때는 그렇게 똑똑했나요?"

"아뇨, 사실 대부분은 그냥 시끄럽기만 했죠. 하지만 그때도 지금처럼 노래를 불렀습니다. 그리고 정신적으로는 훌륭하게 지원을 해주었죠. 보통 방송을 하기 위해 탁자 앞에 앉을 때 미리 손을 써서 꼭 시모어 형 옆자리를 차지했어요. 그래서 시모어가 방송에서 그애를 즐겁게 하는 말을 할 때마다 형 발을 밟곤 했죠. 발을 썼다 뿐이지 그건 손을 꼭 쥐는 것과 똑같았습니다."

나는 이 짧은 이야기를 하면서 책상 앞에 놓인 의자의 등받이 맨 위 가로대에 두 손을 얹고 있었다. 그런데 갑자기 두 손이 미끄러졌다. 탁자나 바의 카운터를 받침 삼아 팔꿈치를 얹고 있다가 갑자기 미끄러지는 것과 비슷했다. 그러나 나는 균형을 잃는 것과 거의 동시에 다시 균형을 찾았기 때문에, 실스번 부인도 중위도 그것을 눈치 채지 못한 것 같았다. 나는 팔짱을 꼈다.

"시모어는 특히 방송을 잘한 밤이면, 약간 절뚝거리며 집에 오곤 했어요. 정말입니다. 샬롯은 발만 얹은 정도가 아니라 아예 짓밟았거든요. 그래도 시모어는 상관하지 않았어요. 형은 자기 발을 밟는 사람들을 아주 좋아했거든요. 시끄러운 여자애들도 좋아했고요."

"흠, 그거 재미있네요! 정말이지 그 여자가 라디오 같은 데 나왔다는 것은 전혀 몰랐어요."

"사실 시모어가 샬롯을 출연시킨 거죠. 그애는 리버사이드 드라이브의 우리 건물에 사는 접골원 집 딸이었거든요."

나는 다시 의자 가로대에 두 손을 얹고, 거기에 몸무게를 실었다. 한편으로는 몸을 지탱하기 위해서였고, 또 한편으로는 담장에 팔을 얹고 이웃과 추억 속의 이야기를 나누는 노인네의 자세를 취하기 위해서였다. 묘하게도 나는 내 목소리에서 즐거움을 느꼈다.

"우리는 스툽볼*을 하고 있었죠. 두 분 이런 이야기에 관심 있습니까?"

"그럼요!" 실스번 부인이 말했다.

"어느 날 오후 방과 후에 건물의 한쪽 벽에 대고 스툽볼을 하고 있었습니다. 시모어하고 내가 말이에요. 그런데, 나중에 샬롯이라는 것을 알게 되었지만, 어떤 아이가 12층에서 우리에게 공깃돌을 던지는 거예요. 그렇게 해서 만나게 되었죠. 우리는 그 주에 샬롯을 프로그램에 출연시켰습니다. 그애가 노래를 부를 줄 안다는 것도 몰랐죠. 아주 아름다운 뉴욕 악센트 때문에 그냥 함께 나갔으면 좋겠다고 생각한 거예요. 샬롯은 딕맨 가(街)**의 악센트로 말을 했습니다."

실스번 부인은 방울이 딸랑거리는 듯한 웃음을 터뜨렸는데, 물론 그것은 일화를 들려주고 있는 예민한 사람에게는, 그가 술에 취했든 아니든, 사형 선고와 마찬가지였다. 그녀는 쭉 염두에 두고 있던 한 가지 질문을 중위에게 던지기 위해 내가 말을 끝내기

---

* 야외의 좁은 장소에서 작은 공을 가지고 하는 게임.
** 뉴욕 맨해튼 북부의 동쪽과 서쪽을 가로지르는 거리.

를 기다리고 있었던 것이 분명했다.

"이 아이가 누구를 닮은 것처럼 보이세요?"

그녀는 끈덕지게도 중위에게 그 질문을 되풀이했다.

"특히 눈가와 입매가 말이에요. 이 아이를 보니까 누가 생각나세요?"

중위는 그녀를 보더니, 이어 사진을 쳐다보았다.

"이 사진 속에 나온 아이의 모습 말인가요? 아이로서요? 아니면 지금이요? 지금 영화에 나오는 대로요? 어느 쪽 말씀입니까?"

"음, 둘 다라고 해도 좋은데. 하지만 특히 이 사진에 나온 걸로요."

중위는 사진을 면밀히 살펴보았다. 내가 보기에는 약간 딱딱한 표정을 짓고 있는 듯했는데, 도대체가 여자일 뿐 아니라 결국 민간인에 지나지 않는 실스번 부인이 그것을 살펴봐달라고 요청한 게 못마땅한 것 같았다.

"뮤리얼."

중위는 무뚝뚝하게 말했다.

"이 사진은 뮤리얼 같군요. 머리하고 모두가."

"어머, 바로 그거예요!"

실스번 부인은 말했다. 그녀는 나를 돌아보며 되풀이했다.

"바로 그거라고요. 뮤리얼을 만난 적이 있나요? 그애를 본 적이 있느냐는 거예요. 그애가 머리를 이렇게 예쁘고 크게ㅡ"

"저는 뮤리얼을 오늘 처음 보았습니다."

"그래요, 좋아요, 그냥 내 말만 잘 들어요."

실스번 부인은 검지로 힘을 주어 사진을 톡톡 두드렸다.

"이 아이는 이 나이 때의 뮤리얼을 복사해놓은 것이라고 해도 좋아요. 있는 그대로 정확하게 말이에요."

위스키는 꾸준히 나를 잠식해 들어왔다. 나는 그 정보의 존재 가능한 많은 지류들을 헤아려보기는커녕, 그 정보를 받아들이는 일 자체도 제대로 해낼 수가 없었다. 나는 커피 탁자로 돌아가ㅡ직선으로 걸으려고 의식적으로 노력하며ㅡ톰 콜린스 주전자를 다시 휘젓기 시작했다. 신부 아버지의 숙부는 내가 근처로 다가가자 내 눈길을 끌어, 내가 다시 나타난 것을 환영하려 했다. 그러나 나는 뮤리얼이 샬롯과 닮았다는 주장 때문에 정신이 멍해져서 노인에게 반응을 보일 수 없었다. 게다가 약간 머리가 어지럽기도 했다. 나는 바닥에 주저앉아 주전자를 휘젓고 싶은 충동을 강하게 느꼈지만, 그렇게 하지는 않았다.

일이 분 뒤 내가 막 술을 따르기 시작했을 때, 실스번 부인이 나에게 질문을 했다. 그 질문은 가락이 실려 있었기 때문에 방을 가로질러 마치 노래처럼 나에게 다가왔다.

"아까 버윅 부인이 말했던 사고에 대해 물어보면 너무 심한 건가요? 부인이 말했다던 그 아홉 바늘 꿰맨 것 말이에요. 댁의 형이 잘못해서 그애를 밀었는지 어쨌는지 했다고 했던가요?"

나는 주전자를 내려놓았다. 엄청나게 무겁고 다루기도 힘든 느낌이었다. 나는 그녀를 건너다보았다. 나는 약간 어지럼증을 느끼고 있었지만, 이상하게 멀리 있는 이미지들은 조금도 흐려 보이지 않았다. 방 건너에서 초점 역할을 하고 있는 실스번 부인은 오히려 너무 튄다 싶을 정도로 또렷해 보였다.

"버윅 부인이 누구죠?"

내가 물었다.

"내 아내요."

중위가 약간 무뚝뚝하게 대꾸했다. 그 역시 나를 건너다보고 있었다. 술을 가져오는 데 왜 그렇게 오랜 시간이 걸리는지 조사하는 위원회의 단독 멤버로서 바라보는 것이기는 했지만.

"아, 그래요, 그렇군요."

내가 말했다.

"그게 사고였나요? 정말로 그러려고 했던 건 아니죠?"

실스번 부인이 다그쳤다.

"나 원 참, 실스번 부인."

"뭐라고요?"

그녀가 차갑게 대꾸했다.

"미안합니다. 저한테는 신경 쓰지 마세요. 약간 술이 취했습니다. 오 분 전에 부엌에서 술을 많이 따라 마셨—"

나는 말을 끊고, 갑자기 주위를 두리번거렸다. 카펫을 깔지 않은 복도에서 귀에 익은 묵직한 발소리가 들렸기 때문이다. 우리를 향해, 우리를 겨냥하고 빠른 속도로 다가오고 있었다. 순식간에 들러리는 쿵쾅거리며 안으로 들어섰다.

그녀는 아무에게도 관심이 없었다.

"마침내 통화를 했어요."

그녀가 말했다. 그녀의 목소리가 묘하게 평탄해진 것 같았다. 연신 음절을 강조하던 독특한 억양은 말끔히 사라져버린 느낌이었다.

"약 한 시간 만에요."

그녀의 얼굴은 긴장되고 과열되어 곧 터져버릴 것 같았다.

"이거 차가운가요?"

그녀는 묻더니, 대답도 듣지 않고 머뭇거림 없이 커피 탁자로 다가왔다. 그녀는 내가 일 분쯤 전에 반쯤 채운 잔 하나를 집어들더니 게걸스럽게 기울여 단숨에 비워버렸다.

"내 평생 저런 더운 방에는 처음 있어봐요."

그녀는 그렇게 말하더니—감정은 별로 섞이지 않은 말투였다—빈 잔을 내려놓았다. 그녀는 주전자를 집어들더니 잔을 반쯤 다시 채우고, 한참을 덜그럭거리고 풍덩대면서 얼음 덩어리들을 집어넣었다.

실스번 부인은 이미 커피 탁자 근처로 와 있었다.

"뭐라던가요? 리아하고 통화했나요?"

그녀가 초조하게 물었다. 들러리는 먼저 술을 마셨다.

"모두하고 다 이야기를 했어요."

그녀는 잔을 내려놓더니, 여전히 모질기는 하지만 그녀답지 않게 극적이지 않은 태도로 '모두'를 강조했다. 그녀는 우선 실스번 부인을 보았고, 이어 나를, 그리고 중위를 보았다.

"모두 긴장을 풀어도 돼요. 모든 것이 멋지게 잘됐어요."

"무슨 이야기예요? 어떻게 된 거죠?"

실스번 부인이 날카로운 목소리로 물었다.

"내가 말한 대로예요. 신랑이 행복 때문에 걸린 병이 이제 다 나았대요."

귀에 익은 억양이 들러리의 목소리에 다시 돌아왔다.

"어떻게? 누구하고 이야기를 한 거야? 페더 부인하고 이야기했어?"

중위가 그녀에게 물었다.

"모두하고 이야기를 했다고 말했잖아. 수줍어하는 신부를 빼고 모두. 신부하고 신랑은 사랑의 도피를 했던 거예요."

그녀는 나를 돌아보았다.

"그런데 여기에 설탕을 얼마나 넣은 거예요? 맛이 꼭 —"

그녀는 짜증을 내며 물었다.

"사랑의 도피요?"

실스번 부인이 되풀이하며 목에 손을 갖다댔다. 들러리는 그녀를 바라보며 조언을 했다.

"그래요. 이제 긴장을 푸세요. 이제 오래 사실 수 있을 거예요."

실스번 부인은 천천히 긴의자에 주저앉았다. 바로 내 옆이었다. 나는 들러리를 물끄러미 쳐다보고 있었다. 실스번 부인도 즉시 나처럼 행동했던 것이 틀림없다.

"아마 그 사람들이 돌아오니 신랑이 아파트에서 기다리고 있었던 모양이에요. 그래서 뮤리얼은 바로 올라가 가방을 꾸렸고, 두 사람은 그 길로 떠나버린 거예요. 그렇게 된 거죠."

들러리는 정교한 동작으로 어깨를 으쓱했다. 그녀는 잔을 다시 들어올리더니 남은 술을 마저 마셨다.

"어쨌든 우리 모두 피로연에 초대를 받았어요. 아니, 신부와 신랑이 이미 떠났으니, 그걸 피로연이라고 불러야 하나 어째야 하나. 내 추측으로는 거기에 이미 사람들이 떼거리로 모여 있는 것 같아요. 모두 아주 쾌활하게 떠드는 소리가 전화로 들렸어요."

"페더 부인하고 얘기를 했다면서? 부인은 뭐래?"

중위가 묻자, 들러리는 약간 불가사의하게 고개를 저었다.

"아주 좋으시던데. 정말이지, 대단한 여자야. 아주 정상적인 목소리였어. 내 추측으로는 — 그러니까 부인이 말한 것으로 추측해 보건대 말이지 — 이 시모어라는 인간이 정신분석가한테 가서 문제를 바로잡기로 약속을 한 것 같아."

그녀는 다시 어깨를 으쓱했다.

"누가 알겠어? 모든 일이 다 편안하게 돌아가게 될는지. 난 너무 지쳐서 이제 아무 생각도 못 하겠어."

그녀는 남편을 보았다.

"가요. 당신 귀여운 모자는 어디 갔어?"

그 다음에 내 기억에 남은 것은 들러리, 중위, 실스번 부인이 모두 줄을 지어 현관문으로 향했고, 나는 주인으로서 그들 뒤를 따라가고 있었다는 것이다. 나는 이제 눈에 띄게 비틀거리고 있었지만, 아무도 내 쪽을 돌아보지 않은 것으로 보아, 내 상태를 눈치챈 사람은 없었던 듯하다.

실스번 부인이 들러리에게 말하는 소리가 들렸다.

"거기 들를 거예요, 어떻게 할 거예요?"

대답이 들렸다.

"모르겠어요. 들른다 해도 뭐 잠깐 얼굴만 비치는 정도겠죠."

중위가 엘리베이터 단추를 눌렀다. 세 사람은 층수 표시등을 바라보며 나른하게 서 있었다. 이제 누구도 더 말할 필요를 느끼지 않는 듯했다. 나는 몇 발 떨어진 아파트 입구에 서서 침침한 눈으로 그들을 바라보고 있었다. 엘리베이터 문이 열리는 것을 보고 나는 큰 소리로 인사를 했다. 그러자 세 사람의 머리가 동시에 내 쪽으로 향했다.

"아, 안녕히 계세요."

그들이 소리쳤다. 이어 문이 닫히는 것과 동시에 들러리가 "술고마웠어요!" 하고 외치는 소리가 들렸다.

*

나는 심하게 비틀거리며 아파트 안으로 되돌아갔다. 어슬렁거리면서 저고리 단추를 풀려고 했다. 아니, 잡아뜯으려 했다.

내가 거실로 들어가자 혼자 남은 손님 ― 깜빡 잊고 있었다 ― 이 드러내놓고 반가워했다. 그는 나를 향해 술이 가득 든 잔을 들어올렸다. 아니, 들어올리는 정도가 아니라 흔들어댔다. 머리도 아래위로 끄덕이며 싱글거렸다. 마치 우리 둘이 오랫동안 기다려온 순간, 기쁨이 넘치는 최고의 순간이 찾아온 듯했다. 그러나 나는 이 특별한 재회에도 그의 웃음에 상응하는 웃음을 지을 수가 없었다. 하지만 그의 어깨를 두드려준 기억은 난다. 이어 나는 그의 맞은편에 있는 긴의자 쪽으로 건너가서 털썩 주저앉으며, 저고리 단추를 잡아당겨 마저 다 풀었다.

"돌아가실 집이 없나요?"

내가 물었다.

"누가 돌봐주나요? 공원의 비둘기들인가요?"

내 손님은 이런 도발적인 질문들에 대한 답으로 아까보다 더 신나게 나에게 건배를 제안했다. 마치 맥주잔을 휘두르듯 톰 콜린스 잔을 휘둘러댔다. 나는 눈을 감고 긴의자에 드러누운 다음 발을 들어올려 앞으로 쭉 뻗었다. 그러자 방이 빙빙 돌기 시작했다. 나는 다시 일어나 앉아 두 발을 바닥에 내려놓았다. 균형 감각을 상실한 상태에서 갑자기 그렇게 하는 바람에 몸을 가누기 위해 커피 탁자에 손을 짚어야 했다. 나는 눈을 감고, 상체를 앞으로 수그린 채 일이 분 동안 앉아 있었다. 이윽고 몸을 일으키지 않고 팔을 뻗어 톰 콜린스가 든 주전자를 잡고 술을 한 잔 따랐다. 술과 얼음 조각을 탁자와 바닥에 얼마나 흘렸는지 모르겠다. 나는 술이 가득한 잔을 손에 든 채 몇 분 동안 마시지도 않고 가만히 있다가, 술이 흥건하게 고인 탁자에 내려놓았다.

"샬롯이 어떻게 하다가 아홉 바늘을 꿰매게 되었는지 알고 싶으세요?"

내가 갑자기 물었다. 내 귀에는 아주 정상적인 말투로 들렸다.

"우리는 호수에 가 있었죠. 시모어는 샬롯에게 편지를 썼습니다. 놀러 오라고요. 샬롯의 어머니도 마침내 허락을 했죠. 그런데 어떻게 되었느냐 하면, 샬롯이 어느 날 아침에 마당 진입로 한가운데 앉아 부 부의 고양이를 쓰다듬어주고 있었는데, 시모어가 샬롯한테 돌을 던진 거예요. 시모어는 열두 살이었죠. 그게 답니다. 시모어가 샬롯에게 돌을 던진 것은 샬롯이 부 부의 고양이와 차도에 함께 앉아 있는 모습이 너무 아름다웠기 때문이에요. 모두 그걸 알고 있었습니다. 제기랄―나, 샬롯, 부부, 웨이커, 월트, 온 가족 모두요."

나는 커피 탁자 위의 양철 재떨이를 물끄러미 바라보았다.

"샬롯은 그 일에 대해 시모어한테 한마디도 한 적이 없어요. 한마디도."

나는 손님을 쳐다보았다. 그가 나의 말에 시비를 걸 것이라고, 나를 거짓말쟁이라 욕할 것이라고 은근히 기대하고 있었다. 물론 나는 거짓말쟁이다. 샬롯은 왜 시모어가 자기한테 돌을 던진 것인지 절대 이해하지 못했다. 그러나 손님은 내 말에 시비를 걸지 않았다. 그 반대였다. 격려를 하듯이 싱긋 웃고 있었다. 내가 그 문제에 대해 무슨 말을 더 하든 그는 모두 절대적 진리로 받아들일 것 같았다. 그러나 나는 일어서서 거실을 나왔다. 거실을 반쯤

가로지르다 다시 돌아가, 바닥에 떨어진 얼음조각 두 개를 집을까 생각했던 기억이 난다. 그러나 너무 힘이 들 것 같아, 내처 현관까지 걸어갔다. 부엌 문을 지날 때 저고리를 벗어 바닥에 던졌다. 그때는 그곳이 내가 늘 내 저고리를 두던 곳인 듯 느껴졌다.

나는 목욕탕에 들어가 잠시 선 채로 빨래 바구니를 굽어보며 시모어의 일기를 다시 꺼내 읽을지 말지 고민했다. 내가 그 문제에 대해 그러자는 쪽이든 말자는 쪽이든 속으로 어떤 주장을 펼쳤는지는 기억나지 않는다. 어쨌든 나는 바구니 뚜껑을 열고 일기를 집어들었다. 나는 다시 욕조 가장자리에 주저앉은 다음 책장을 넘겨, 시모어가 쓴 맨 마지막 일기를 찾았다.

"한 병사가 다시 격납고에 전화를 했다. 운저(雲底) 고도가 계속 높아지면, 아침에는 비행기가 뜰 수 있을 것 같다는 이야기였다. 오펜하임은 마음 졸이지 말라고 했다. 나는 뮤리얼에게 이야기해주려고 전화를 했다. 아주 이상했다. 전화를 받기는 했는데 계속 여보세요, 소리만 했다. 내 목소리는 전달되지 않았다. 그녀는 전화를 끊을 뻔했다. 내가 조금만 더 침착할 수 있으면 좋을 텐데. 오펜하임은 격납고 쪽에서 전화를 걸어줄 때까지 잠이나 자겠다고 한다. 나도 그래야 하지만, 너무 긴장되어 있다. 내가 전화를 한 것은 사실 그녀에게 나와 단둘이 달아나서 결혼을 하자고 마지막으로 부탁하기 위함이었다. 나는 너무 긴장이 되어 사람들과 함께 있을 수가 없다. 마치 이제 막 태어나려는 듯한 느낌이다. 성스럽고, 성스러운 날. 그러나 전화 연결 상태가 너무 나빠 나는 통화중에 전혀 말을 할 수가 없었다. 사랑한다는 말을 했는데 전화를 받는 사람이 '뭐라고?' 하고 큰 소리로 되묻는다면 얼마나 끔찍한가? 나는 하루 종일 『베단타』*에 실린 이런저런 글을 읽었다. 결혼하는 짝은 서로 섬겨야 한다. 서로 드높이고, 돕고, 가르치고, 서로 힘이 되어야 한다. 무엇보다도 섬겨야 한다. 자식들은 명예롭게, 다정하게, 그리고 거리를 두고 길러라. 아이는 집안의 손님으로 사랑하고 존중해야지 절대 소유하려 해서는 안 된다. 아이는 신에게 속한 존재이기 때문이다. 얼마나 멋지고, 얼마나 건전하고, 얼마나 아름답게 어려우냐. 따라서 진리다. 내 평생 처음으로 느껴보는 책임의 기쁨. 오펜하임은 이미 잠이 들었다. 나도 그래야 하지만 잘 수가 없다. 누군가 잠을 자지 말고 이 행복한 사람과 함께 있어주어야 하는데."

나는 딱 한 번 쭉 읽고 일기장을 덮은 다음 침실로 도로 가지고 갔다. 나는 일기장을 창문 앞 의자 위에 놓여 있는 시모어의 캔버

---

* 범신론적, 관념론적 일원론을 바탕으로 한 인도 철학의 고전.

스 가방 위에 던졌다. 그런 다음 눕고 싶어서 두 개의 침대 중 내 쪽 가까이 있는 침대 위에 쓰러졌다. 나는 침대에 몸이 닿기 전에 이미 자고 있었다. 아니, 의식을 잃고 있었다. 여하튼 그렇게 느껴졌다.

한 시간 반쯤 뒤에 잠을 깼을 때 머리는 쪼개질 듯 아팠고 입 안은 바싹 타버린 것 같았다. 방 안은 어두컴컴했다. 침대 가장자리에 한참 동안 앉아 있었던 기억이 난다. 이어 목마름이라는 위대한 대의를 앞세우고 몸을 일으켜 중력에 끌리듯 거실 쪽으로 천천히 움직였다. 그곳의 커피 탁자 위의 주전자에 뭔가 마실 만한 것, 차가운 것이 남아 있겠거니 하는 기대감 때문이었다.

나의 마지막 손님도 아파트를 나간 것이 분명했다. 그의 빈 잔과 양철 재떨이의 시가 꽁초만이 그가 그곳에 있었음을 보여주고 있었다. 나는 지금도 그 시가 꽁초를 시모어에게 전달해주었어야 한다고 생각하는 쪽이다. 보통 결혼 선물이라는 것이 다 그런 것이니까. 작고 멋진 상자에 딱 그 시가만 넣어서. 설명 삼아 백지 한 장을 동봉해도 좋고.

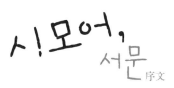

시모어, 서문 序文

　　그는 분명 우리에게 진짜인 모든 것을 의미했다.

　　　　　　　그는 우리의 파란 줄무늬 유니콘이었으며,

　　　　　우리의 이중 볼록렌즈였으며, 우리의 천재 자문가였으며,

　　우리의 휴대용 양심이었으며, 우리의 화물 관리인이었으며,

　　　　　　　　우리에겐 단 한 명뿐인 완전한 시인이었다.

나는 배우들과 함께 있기만 하면, 내가 지금까지 그들에 대해 썼던 것 대부분이 가짜라 믿게 되고, 결국 공포에 사로잡힌다. 내가 쓴 것이 가짜라는 것은, 내가 그들에 대해 쓸 때는 불변의 사랑을 품고 글을 쓰지만(지금 이것을 쓰고 있지만 이것 역시 가짜가 된다), 내 능력에는 굴곡이 있기 때문이다. 이 굴곡진 능력 때문에 나는 배우들을 진짜로 또렷이 그려내지 못하게 되고, 나의 능력은 애정 속으로 흐릿하게 자취를 감추고 만다. 또한 이 애정은 나의 능력 정도로는 결코 만족하지 못하기 때문에, 내 능력의 행사를 막는 것이 곧 배우들을 보호하는 것이라고 여긴다.

그것은 (비유적으로 묘사하면) 마치 한 작가가 펜이 미끄러져 글을 잘못 쓰게 되고, 이 실수가 스스로 의식을 획득하게 되는 것과 같다. 어쩌면 이것은 단순한 실수가 아니라, 훨씬 더 높은 의미에서 서술 전체의 핵심을 이루게 될 부분인지도 모른다. 따라서 이는 작가에 대한 증오 때문에 이 실수가 반역을 일으키고, 작가가 그것을 수정하지 못하도록 막으면서 다음과 같이 말하는 것과 비슷하다.

"아니, 나는 지워지지 않겠다. 나는 너에게 불리한 증인, 네가 아주 형편없는 작가라는 사실을 입증하는 증인이 되겠다."

아주 빈약한 수확이라고 생각하기는 하지만, 그래도 나이 마흔이 되자 나는 솔직히 가끔은 일반 독자, 오랜 친구이기는 해도 역경의 순간에는 믿을 수 없는 존재인 일반 독자를 나와 나이도 아주 비슷하고 흉금도 털어놓을 수 있는 최후의 친구로 여기게 되었다. 그런데 사실 나는 십대를 벗어나기 훨씬 전부터, 내가 개인적으로 알고 있는 유명한 장인(匠人) 중에 가장 흥미롭고 또 근본적으로 가장 오만하지 않은 사람에게서, 아무리 별나고 끔찍하다 해도 이런 관계의 예의는 늘 삼가 존중하는 태도를 유지하도록 노력하라는 꾸준한 요구를 받아왔다. 그는 내 경우에 이런 문제가 애초부터 나타날 것임을 알았던 것이다. 문제는 일반 독자가 어떤 인간인지도 모르는데, 작가가 어떻게 예의를 지키느냐 하는 것이다. 물론 그 역(逆)은 아주 흔하겠지만, 이야기를 쓰는 작가가 독자가 어떤 사람일 것 같으냐는 질문을 받는 경우가 과연 있을까?

아주 다행스럽게도 서둘러 요점을 이야기하자면 ─ 그렇다고 해서 이 요점이 끝도 없이 선전해댈 만한 것이라고 생각하지는 않지만 ─ 나는 아주 오래 전에 나의 일반 독자, 안됐지만 바로 당신에 대해 내가 알아야 하는 것은 거의 다 알아냈다. 안타깝게도 당신은 그것을 모조리 부인하겠지만, 사실 나는 당신 말을 그대로 믿어줄 수 있는 입장이 아니다.

당신은 새를 무척이나 사랑하는 사람이다. 옛날에 자습 시간에 감독이 부실한 것을 틈타 아널드 L. 슈거먼 주니어가 억지로 내게 읽으라고 했던 존 버컨*의 단편 「스쿨 스케리Skule Skerry」**에 나오는 사람과 마찬가지로, 당신은 새가 상상력에 불을 붙인다는 이유로 그것을 우선적으로 가까이하는 그런 사람이다. "정상체온이 50도인 이 작은 생물이 모든 피조물 가운데 순수한 정신에 가장 가까울 것 같기" 때문에 당신은 새에게 매혹되었다. 존 버컨이

---

* 스코틀랜드의 정치가이자 소설가(1875~1940). 판타지 및 공포소설들을 남겼다.
** 존 버컨이 1928년에 『어드벤처』지에 발표한 판타지 단편소설.

라는 사람과 마찬가지로 당신도 아마 새와 관련된 흥미진진한 생각들을 많이 했을 것이다. 당신은 틀림없이 이 구절을 떠올렸을 것이다. "콩알만한 위를 가진 상모솔새가 북해를 가로질러 날아간다! 멀리 북쪽에서 새끼를 기르기 때문에 오직 세 사람만이 그 둥지를 보았다고 하는 컬루샌드파이퍼라는 도요새는 휴가를 즐기기 위해 태즈메이니아 섬으로 간다!"

물론 나의 일반 독자가 그 도요새의 둥지를 실제로 본 세 사람 중 하나이기를 바라는 것은 무리겠지만, 지금 내가 어떤 호의의 제스처를 보여야 환영을 받을 수 있을지 짐작할 수 있을 만큼은 독자―즉 당신―를 잘 안다고 생각한다. 따라서 이렇게 우리끼리 속닥이는 분위기에서 예전부터 내가 속을 털어놓던 벗이여, 우리가 다른 사람들, 어디에나 깔려 있는 사람들, 그러니까 여기에는 우리를 달로 쏘아올리겠다고 고집하는 중년의 난폭한 고물차 운전자들, '달마 행자'들, 생각하는 사람들을 위해 담배 필터를 만든 사람들, 비트 족*과 슬로피 족과 페튤런트 족**, 선택받은 광신자들, 우리의 자그마한 가여운 성(性) 기관으로 무엇을 해야

---

* 1950년대 후반에 미국 동부를 중심으로 활동한 보헤미안 성향의 문화인들.
** 슬로피(sloppy)는 '의복이 남루한, 조잡한'이라는 뜻이고, 페튤런트(petulant)는 '성미가 까다로운'이라는 뜻으로, 실제로 존재했던 문화는 아니다. 비트 족처럼 별나고 까다로운 종류의 사람들을 일컫기 위해 작가가 지어낸 말이다.

하고 하지 말아야 할지를 아주 잘 아는 모든 고고한 전문가들, 턱수염을 기른 오만하고 배우지 못한 모든 젊은 남자들과 미숙한 기타 연주자들과 선(禪)의 파괴자들과 전혀 깨달음이 없으면서도 (내 입을 막으려 하지 말라) 킬로이*, 그리스도, 셰익스피어가 머물고 간 이 찬란한 행성을 멸시하고 있는 세력화된 심미적인 영국 테디 보이**들, 우리가 이런 타자들에 합류하기 전에 나는 당신에게, 옛 친구에게 (안됐지만 정말로 당신에게) 내가 드리는 이 철이른 괄호들로 이루어진 다음과 같은 수수한 꽃다발(((()))을 받아들여달라고 조용히 말하겠다. 그러나 꽃과는 전혀 관계 없이, 나는 무엇보다도 먼저 이 괄호들이 지금 이 글을 쓰고 있는, 마치 O자 다리―구부러진 다리―와 같은 내 마음과 몸 상태의 조짐으로 받아들여지기를 진정으로 바라는 것 같다. 전문적으로 말하자면, 이런 전문적인 방식이 내가 진짜로 즐기는 말하기 방식인데(더 비위가 상하게 이야기하자면, 나는 9개 국어를 거침없이 하며, 그 가운데 4개 국어는 완전히 죽은 언어다), 되풀이하지만 전문적으로 말해서, 나는 지금 황홀할 정도로 행복한 사람이다.

---

* 제2차 세계대전 때 벽, 건물 등에 남겨진 미국 군인들의 낙서에 등장했던 가공의 병사.
** 1950·60년대 영국에서 에드워드 7세 시대의 화려한 복장을 즐겨 입던 비행 청소년들.

전에는 결코 이랬던 적이 없다. 아, 어쩌면 한 번은 있었는지도 모른다. 열네 살 때 모든 등장인물, 즉 주인공, 악당, 여주인공, 그녀의 늙은 유모, 모든 말과 개가 하이델베르크 결투 흉터*를 지니고 있는 단편을 쓸 때였다. 그때 나는 상당히 행복했다고 말할 수 있을 것 같다. 그러나 황홀하지는 않았다. 이 정도는 아니었다. 정리를 해보자. 아마 이것에 대해 나보다 더 잘 아는 사람은 없을 텐데, 나는 황홀할 정도로 행복한 상태에서 글을 쓰는 사람은 종종 주위 사람의 진을 빼는 아주 피곤한 유형이기 쉽다는 것을 알게 되었다. 물론 이런 상태에 처한 이들 중에서도 시인들이 단연 "까다롭다." 그러나 비슷한 발작상태에 사로잡힌 산문작가도 품위 있는 벗으로서 훌륭한 행동을 보여주지는 못한다. 거룩하든 아니든, 발작은 발작이니까. 또 나는 황홀할 정도로 행복한 상태의 산문작가가 인쇄된 종이 위에 여러 가지 좋은 일―솔직히 바라건대는 가장 좋은 일―을 할 수 있다고 생각하긴 하지만, 사실 그런 작가는 중용, 절도, 간결함을 지킬 수 없으며, 이는 극히 자명한 것 같다. 즉 그는 짧은 문단의 글을 쓸 능력을 거의 상실하게 된다. 그는 거리를 둘 수가 없다. 하강세를 타는 일은 아주 드물고 또 그럴 때도 의심을 풀지 못한다. 행복처럼 크고 소모적인 것을

---

* 19세기 유럽 하이델베르크, 뮌헨 등 남부 독일 대학들의 남학생 비밀 결사대들이 신입 단원 입단식에서 서로 얼굴에 상처를 내어 흉터를 남기는 전통.

경험한 뒤에는 지면 위에서 고요히 형세를 관망하는 훨씬 작은 쾌감, 그러나 작가로서는 상당히 강렬한 쾌감을 반드시 상실할 수밖에 없다. 내가 생각할 때 최악은 그가 더이상 독자의 가장 직접적인 욕구, 즉 작가가 이야기를 계속해나가는 꼴을 좀 보자는 욕구를 헤아릴 입장이 아니라는 것이다. 몇 문장 전에 불길하게 괄호들을 선사한 데는 그런 이유도 있다.

나는 어떤 이야기라는 것이 진행되는 상황에서는 아주 영리한 사람들일지라도 도중에 괄호 안의 논평이 나오는 것을 도저히 참지 못하는 경우가 많다는 것을 잘 알고 있다. (우리는 우편을 통해 그런 충고를 듣곤 한다. 사실 이런 우편물 대부분은 논문 준비자들이 휴가를 맞이하여 곤드레만드레 취한 상태에서 편지를 쓰고 싶다는 아주 자연스럽고 투지만만한 충동이 일어났을 때 써보낸 것이다. 어쨌든 우리는 그 편지를 읽게 되고, 또 보통 그대로 믿는다. 좋은 글이든, 나쁜 글이든, 평범한 글이든, 영어 단어들이 꿰어져 있기만 하면 마치 프로스페로*가 직접 한 이야기라도 되듯이 귀를 쫑긋 세운다.)

이제 나는 이 시점부터 내 방백이 제멋대로 날뛸 뿐 아니라(사실 각주도 한두 개 들어가지 않을까 모르겠다), 가끔 뻔한 플롯의

---

* 셰익스피어의 『폭풍우』에 나오는 마법사이자 공작.

길에서 멀리 떨어진 곳에 뭔가 흥미있거나 재미있는 것이 보여서 그쪽으로 방향을 틀 만한 가치가 있다고 여겨지면, 직접 독자의 등에 뛰어올라 독자를 그곳으로 몰고 갈 용의도 있다는 점을 알려주고자 한다. 여기서 속도란—신이여, 미국인인 나를 벌하지 마소서—나에게 아무런 의미가 없다. 그러나 독자의 관심을 유지할 수 있는 가장 절제되고, 가장 고전적이고, 또 어쩌면 가장 교묘한 작법만을 진지하게 요구하는 독자들이 있는데, 제안하거니와—작가가 이런 종류의 제안을 할 때 보일 수 있는 최대의 솔직함으로—그런 사람들은 지금, 떠나는 것이 바람직하고 편하다고 여겨지는 지금, 떠나라. 앞으로도 가다가 출구가 나오면 계속 그쪽을 가리킬지도 모르겠지만, 매번 솔직한 척할 것이라는 보장은 못 하겠다.

서두의 두 인용에 대하여 다소 아낌없는 말을 늘어놓으면서 시작하고 싶다. "나는 배우들과 함께 있기만 하면 어쩌고"는 카프카를 인용한 것이다. 둘째, "그것은 (비유적으로 묘사하면) 마치 한 작가가 어쩌고"는 키에르케고르를 인용한 것이다(키에르케고르의 이 구절은 실존주의자들 몇 명과 좀 지나치다 싶을 만큼 책을 많이 낸 프랑스 지식인들의 눈길을 끌지도 모른다. 더 나아가, 글쎄, 약간이기는 하지만 그들을 놀라게 할지도 모른다는 생각에 기분이 좋아 꼴사납게 두 손을 싹싹 비비고 싶은 것을 간신히 참고 있다).† 사실 사랑하는 작가들의 작품을 인용할 때 물샐틈없는 이유가 있어야 한다고 확신하는 것은 아니지만, 그런 이유가 있으면 좋기는 하다는 점은 인정할 수 있다. 이 경우 두 인용은, 특히 서로 이어놓고 보니, 어떤 의미에서는 카프카와 키에르케고르뿐만 아니라 죽은 네 사람, 다양한 이유로 악명 높았던 네 사람의 '병자', 또는 적응 미달인 독신자들(아마 그 넷 가운데 어쩌면 반 고흐만이 이 지면에 초대 손님으로 출연하는 일을 면하게 될 것 같다)의 가장 좋은 면을 멋지게 표현해놓은 것 같다. 이들 네 사람은 내가 현대 예술의 방법론에 대해 완벽히 신뢰할 만한 정보가 필요할 때면—가끔은 진짜 곤란에 처했을 때도—뻔질나게 달려가는 사람들이다.

그 두 인용을 옮겨다놓은 것은, 대체로 이 글에 집합시켜놓으려 하는 자료 더미 전체와 관련하여 나 스스로 어떤 입장에 처해 있다고 생각하는지를 아주 분명하게 보여주기 위해서이다. 조금도 망설이지 않고 말하거니와, 어떤 경우든 작가는 이 점에 대해 가능한 한 분명하게, 가능한 한 일찍 밝혀두어야만 한다. 그러나

---

† 이 온건한 비방 때문에 철저히 비난을 받을 수도 있겠지만, 위대한 키에르케고르가 실존주의자이기는커녕 결코 키에르케고르주의자도 아니었다는 사실은 한 촌스러운 지식인의 마음을 끝도 없이 기쁘게 하며, 그가 우주의 시적 정의를—우주의 산타클로스까지는 아니라 해도—믿었다는 사실을 재확인해준다.

한편으로는 비교적 새로운 부류의 문학비평가들—이름을 날리려는 희망은 시들어버린 채, 우리의 혼잡한 신(新)프로이트주의적 예술 및 문학 병동에서 많은 시간을 보내고 있는 수많은 노동자들(아니, 병사들이라고 말할 수도 있겠다)—에게 이 두 짧은 인용이 간편한 응급 처치를 할 때 도움이 될 수도 있다고 생각하는 것—그렇다고 꿈꾸는 것—이 나 자신의 보람인지도 모르겠다. 특히 그들 자신의 정신이 아무리 터져나갈 듯이 건강하고, 또 (부정할 수 없는 일이겠지만) 아름다움에 대한 어떤 타고난 병적 매혹으로부터 자유롭다 하더라도 결국 언젠가는 아름다움의 병리학을 전공하게 되어 있는 어린 학생이나 풋내 나는 임상의들에게 도움이 된다면. (사실 열한 살 때 이 세상에서 내가 가장 사랑하는 예술가이자 '병자'—당시 그는 아직 반바지 차림이었다—가 전문적인 프로이트주의자들로 이루어진 유명한 집단에게 여섯 시간 사십오 분 동안 검사를 받는 광경을 지켜본 뒤 나는 이 문제에 대해서는 마음이 냉혹해졌다. 나의 온전히 신뢰할 수 없는 의견으로 보았을 때, 그들은 그의 머리에서 현미경 슬라이드에 올려놓을 뇌 표본을 꺼내기 직전쯤에 멈추었는데, 그후로 오랫동안 나는 당시 시간이 늦지만 않았어도—새벽 두시였다—그들이 정말 그렇게 했을 것이라고 생각해왔다. 따라서 이 문제에 대해서는 내가 정말로 냉혹해 보이기를 바란다. 내가 빙퉁그러졌느냐, 그것은 아니다. 물론 나도 그 경계에는 아주 가느다란 선, 또는 뱃전 밖으로 내민 판자* 하나 정도만 놓여 있을 뿐임을 느끼지만, 그래도 조금만 더 걸어가보고 싶다. 준비가 되었든 안 되었든 간에, 나는 아주 오랫동안 이런 감정들을 모아서 한꺼번에 떨쳐버릴 날을 기다려왔기 때문이다.)

물론 센세이셔널하게 창조적인 예술가—여기서 내가 창조적인 예술가라고 할 때는 화가와 시인과 완전한 디히터**만을 가리킨다—에 대해서는 아주 다양한 소문들이 널리, 드높이 퍼져왔다. 이런 소문들 중 하나이자, 나에게 단연 가장 유쾌했던 소문은 키에르케고르가 한 번도, 심지어 정신분석 이전의 암흑시대에도 전문적인 비평가들을 깊이 존경한 적이 없으며, 보통 자신의 전반적으로 불건전한 사회관에 입각해서 그들을 에흐트*** 출판업자나 화상들, 또는 기타 부러울 정도로 잘나간다고 할 수 있는 예술 추종자들과 한통속으로 취급했다는 것이다. 그 스스로 이를 시인한 적은 거의 없다지만, 그런 사람들은 자신들이 가질 수 있는 작품을 고르라고 한다면 다른, 가능하면 더 깔끔한 작품을 택할 것이라는 게 그의 생각이었다.

---

* 해적들이 포로를 죽일 때 눈을 가린 채 판자 위를 걷게 하던 풍습을 빗댄 말.
** Dichter. '대문호'를 뜻하는 독일어.
** echt. '전형적인, 대표적인'이라는 뜻의 독일어.

그러나 적어도 현대에 이르러, 병들었지만—묘하게도—생산적인 시인이나 화가에 대해 내가 가장 자주 듣는 이야기가 있다. 그것은 그가 반드시 표준 이상이지만, 동시에 어김없이 "고전적인" 신경증 환자라는 것, 아주 가끔씩만—그때도 절대 속마음은 그렇지 않지만—자신의 정신이상 상태를 내버리고 싶어하는 정신이상자라는 것이다. 또는 이 상태를 더 쉬운 말로 하자면 '병자'로서, 비록 본인은 그것을 유치하게 부인한다는 소문도 있지만, 그는 마치 진심으로 자신의 예술과 영혼을 다 내버리고 다른 사람들에게 건강함으로 여겨지는 것을 경험하고 싶어한다는 듯 자주 무시무시한 고통의 비명을 내지르다가도(소문은 이런 식으로 이어진다), 누군가—그것도 간혹 드물지 않게 실제로 그에게 애정을 가진 누군가—건강에 도움이 될 것 같지 않은 그의 작은 방으로 밀고 들어가서 감정을 담은 목소리로 어디가 아프냐고 물으면, 아프지 않다고 부인하거나, 진료에 도움이 될 만큼 길게 대답하기를 거부한다. 아침, 심지어 위대한 시인과 화가들조차도 평소보다는 약간 더 기운차 보이는 아침이 오면, 그는 또다른 날, 아마도 '일하는' 날의 빛을 바라보면서, 마치 건강한 사람들을 포함한 모든 사람들이 결국은 죽는 반면, 보통 어느 정도는 마지못해 그냥 죽는 반면, 자신은 운이 좋은 나머지 병이든 아니든 간에 적어도 자신이 알고 있는 가장 자극적인 벗에 의해 죽어가고 있다는 사실을 기억해내기라도 했다는 듯이, 자신의 병이 제 갈 길을 가도록 만들겠다는 비틀린 결심을 그 어느 때보다도 강하게 굳히는 듯 보인다는 것이다.

전체적으로 논쟁에 가까운 이 글 전체에 걸쳐 죽 암시해왔듯이 가족 중에 그런 죽은 예술가를 둔 나 같은 사람이 이런 말을 하면 믿기 힘들지도 모르지만, 과연 조금 전에 이야기한 세간의 소문 (그 지당한 이야기)이 상당한 양의 확실한 사실들에 근거하지 않고 있다고 합리적으로 결론을 내릴 수 있는 사람이 있을지 모르겠다. 유명인이었던 나의 가족이 살아 있는 동안, 나는 그를 매처럼―가끔은 내가 정말 매가 되었던 듯한 느낌이 든다―지켜보았다. 모든 논리적 정의에 비추어볼 때, 그는 '실제로' 불건강의 표본이었으며, 최악의 밤이나 늦은 오후에는 '정말로' 고통의 비명뿐만 아니라 살려달라는 비명을 지르기도 했다. 그러나 명목상으로나마 돕겠다는 사람이 나서면 '실제로' 그는 이해할 수 있을 만한 말로 어디가 아픈지 이야기하기를 거부했다. 그래도 나는 공개적으로 이런 문제들에 대한 전문가라고 공언하는 사람들― 학자들, 전기작가들, 특히 이런저런 커다란 공립 학교에서 정신분석 교육을 받고 현재 지배층을 형성하고 있는 지식인 귀족― 을 트집 잡고 싶다. 이 문제를 두고 나는 아주 매섭게 그들을 탓한다. 고통의 비명이 나올 때 그들은 그 소리에 제대로 귀를 기울이지 않으며, 물론 귀를 기울일 수도 없기 때문이다. 그들은 음치 귀족이다. 그런 부실한 장비를 가지고, 그런 귀를 가지고, 음향과 음색만 듣고 어떻게 고통의 근원까지 추적해 들어갈 수 있을까? 내생각에는, 그런 형편없는 청각 장비를 가지고 탐지할 수 있는, 또 어쩌면 확인할 수 있는 최대치는 고통스러운 유년이나 헝클어진 리비도에서 나온 이리저리 흩어진 가느다란 화성 — 심지어 대위법조차도 못 되는 소리 — 몇 개뿐일 듯하다.

그렇다면 그 고통의 덩어리, 앰뷸런스에 가득 찰 만한 덩어리는 어디서 나오는 것일까? 어디서 나올 수밖에 없는 것일까? 진정한 시인이나 화가란 예견자인 게 아닐까? 사실 그런 사람들이 지상의 유일한 예견자인 게 아닐까? 과학자가 예견자는 아님이 분명하고, 정신과 의사는 아닌 게 더욱더 확실하다. (물론 정신분석학자들 중 단 한 명의 위대한 시인은 프로이트 자신이었다. 그도 나름대로 귀에 약간 문제가 있기는 했으나, 제정신을 가진 사람이라면 그가 서사시인의 일을 했다는 사실을 부인할 수 없으리라.)

용서하라. 이제 이 부분은 거의 다 끝났다. 예견자의 경우, 신체 중 어느 부위가 가장 혹사를 당하겠는가? 물론 눈이다. 제발, 사랑하는 일반 독자여, 마지막으로 관대함을 발휘하여(아직도 내 이야기를 듣고 있다면), 처음에 내가 제시했던 카프카와 키에르케고르의 짧은 두 구절을 다시 읽어보라. 분명하지 않은가? 비명이 눈으로부터 곧바로 터져나오고 있지 않은가? 검시관이 보고서에서 뭐라고 말했건—사인(死因)이 폐병이라고 했건, 고독이라고 했건, 자살이라고 했건 간에—진정한 예술가이자 예견자가 실제로 어떻게 죽었는지는 뻔하지 않은가? 분명히 말하거니와 (앞으로 이 지면에 나올 이야기들은 내가 적어도 대체로 옳다는 점에 모든 것을 기대고 있는 듯하다)—진정한 예술가이자 예견자, 아름다움을 만들어낼 수 있고 또 실제로 만들어내기도 하는 거룩한 바보는 주로 자신의 가책, 신성하고 인간적인 자기 양심의 눈이 멀듯한 형상과 색채 때문에 눈이 부셔 죽고 만다.

이제 내 신조는 다 이야기했다. 이제 뒤로 물러나 앉는다. 한숨을 쉰다. 유감이긴 하지만, 행복하게. 무라드 담배에 불을 붙이고, 나 역시 바라마지않는 일이지만, 다른 이야기로 넘어간다.

*

이제 출입구 꼭대기 근처에 걸어놓은 "서문"이라는 부제에 대해 뭔가, 가능하면 활기 있게, 이야기를 해야겠다. 여기에서, 적어도 내가 나 자신을 설득하여 자리에 앉은 채 상당히 차분한 태도를 유지할 수 있을 정도로 정신이 맑아 있는 동안, 내 이야기의 중심

인물은 죽은 맏형 시모어 글래스가 될 것이다. 그는 (이것은 부고처럼 단 하나의 문장으로 말하는 편이 더 좋을 것 같은데) 1948년에 서른한 살의 나이로 플로리다에서 아내와 함께 휴가를 보내다가 자살했다. 그는 살아 있는 동안 아주 많은 사람들에게 아주 많은 것을 의미하는 존재였으며, 꽤 대규모인 우리 가족에서 남동생과 여동생들에게 그의 존재는 거의 모든 것이었다. 그는 분명 우리에게 진짜인 모든 것을 의미했다. 그는 우리의 파란 줄무늬 유니콘이었으며, 우리의 이중 볼록렌즈였으며, 우리의 천재 자문가였으며, 우리의 휴대용 양심이었으며, 우리의 화물 관리인*이었으며, 우리에겐 단 한 명뿐인 완전한 시인이었다. 또한 과묵함은 결코 그의 가장 큰 장점이 아니었을뿐더러, 유년 시절의 거의 칠년 동안 전국 라디오 아동 퀴즈 프로그램에서 스타 노릇을 하면서 결국 이런저런 식으로 방송으로 나가지 않은 부분이 별로 없었으니, 아마 불가피하게도 그는 우리에게 악명 높은 "신비주의자"인 동시에 "균형 잡히지 않은 타입"이기도 했을 것이다.

  분명히 말하거니와, 나는 이곳 출발점에서 모든 것을 철저히 해둘 작정이다. 따라서 한 걸음 더 나아가 그의 머릿속에 자살 계획이 있었든 없었든 간에, 내가 보건대 그는 나와 꾸준히 어울렸

---

* 화물주를 대표하여 상선에 대신 승선하는 관리자.

고, 또 나와 함께 쿵쾅대며 돌아다녔던 사람 중에 **묵타**, 즉 깨달음을 얻은 자, 신을 아는 자라는 고전적인 관념에 자주 일치했던 유일한 사람이었다고 선언 ─ 선언하면서 동시에 절규할 수 있다면 ─ 해야겠다. 어쨌든 그의 성격은 내가 아는 그 어떤 정통적 종류의 서사적인 간결성으로도 포착할 수 없다. 나는 말할 것도 없고, 그 누구라도 그를 단 한 번의 묘사로 끝내버린다거나, 또는 월 단위든 연 단위든 간에 몇 번 연재를 한다고 해서 끝내버릴 수 있다고도 생각할 수 없다.

이제 핵심에 이르렀다. 이 막막한 공간에 대한 나의 원래 계획은 시모어에 대해 단편을 하나 쓴 다음, 그 제목을 **시모어 1부**라고 붙여서, 그 커다랗게 써놓은 1부라는 글자가 독자에게보다는 나 버디 글래스 자신을 위해 내장된 편의 장치 역할을 하게 하자는 것이었다. 즉 다른 이야기들('시모어 2부' '3부', 가능하면 '4부'까지도)이 논리적으로 뒤따라야 한다는 것을 나에게 가끔씩 일깨워주는 역할을 하게 하자는 것이었다. 그러나 이제 그런 계획은 존재하지 않는다. 아니, 존재한다 하더라도 ─ 그런 계획이 자리잡는 방식이라는 게 보통 다음과 같지 않을까 싶은데 ─ 내가 준비가 되면 땅을 세 번 두드려 신호할 것이라고 짐작하기라도 했는지 그것은 땅 밑으로 숨어들어가버렸다.

그러나 이번의 경우, 형에 관한 글을 쓰는 한 나는 절대 단편작가가 될 수 없다. 지금의 나라는 존재는, 내 생각에는, 형으로부터 거리감을 두지 못한 서문 같은 논평들로 가득 찬 동의어 사전과도 같다. 나는 본질적으로, 지금까지의 나와 거의 달라지지 않은 것 같다. 즉 나는 이야기꾼, 그러나 매우 개인적으로 절실한 욕구를 가진 이야기꾼이다. 나는 그를 소개하고 싶고, 묘사하고 싶고, 그에 관한 추억거리나 부적을 나누어주고 싶고, 지갑을 열어 그의 스냅사진을 돌려보게 하고 싶고, 내 본능에 따라 행동하고 싶다. 이런 기분으로는 감히 단편소설의 형식 근처에도 갈 수가 없다. 단편소설의 형식은 나같이 거리를 두지 못하는 작고 뚱뚱한 작가를 통째로 삼켜버릴 것이다.

그럼에도 당신에게 이야기할 것들이, 비록 서툴게 들릴지 몰라도 많이, 아주 많이 있다. 예를 들어 나는 형에 대해 아주 일찍부터 매우 많은 것들을 이야기해왔고, 분류해왔다. 당신도 틀림없이 그것을 알아챘을 것이다. 또 어쩌면 내가 지금까지 시모어에 대해(또 말하자면 그의 일반적인 혈액형에 대해) 말한 것이 모두 그림으로 그려낸 듯한 칭찬의 말이었다는 것도 알아챘을지 모르겠다. 사실 나도 그 점에 대해 어느 정도는 신경이 쓰였다. 생각해보니, 그래, 잠시 멈추게 된다. 내가 그를 파묻으러 온 것이 아니라 발굴하러, 또 어쩌면 찬양하러 온 것임을 인정한다 해도, 그것 때문에 세상의 모든 냉정하고 공평무사한 이야기꾼들의 명예가 손상되지는 않으리라 생각한다. 목록에 올릴 만한, 적어도 서둘러 올려야 할 만한 심한 잘못이나 악덕, 비열함이 시모어에게는 전혀 없었던가? 도대체 그는 어떤 사람이었나? 성자였나?

고맙게도 그 질문에 답하는 것은 나의 책임이 아니다. (아, 운 좋은 날이여!) 망설임 없이 화제를 바꾸자면, 나는 그에게 하인츠 식품처럼 다양한 개인적 특징들이 있었다고 말하고 싶은데, 이 특징들로 인해 우리 가족 내의 모든 미성년자들은 각자 감수성이나 예민함의 정도에 따라 시차를 두고 술병을 향해 달려가는 위기에 처하게 되었다. 우선 그에게는 신을 찾는 모든 사람들, 그것도 상상해보기에 가장 묘한 곳 — 예컨대 라디오 아나운서들, 신문들, 가짜 미터기를 단 택시 등 문자 그대로 모든 곳 — 에서 신을 찾아내는 데 엄청난 성공을 거둔 듯 보이는 사람들에게 공통으로 나타나는 상당히 무시무시한 검증표시가 아주 분명하게 드러났다. (기록으로 남겨두기 위해 말해두지만, 형은 어른이 되면서 사람 미치게 하는 습관을 거의 내내 지니고 살았는데, 그것은 검지로 꽁초가 가득한 재떨이를 뒤지는 버릇이었다. 형은 입이 귀에 걸릴 듯한 웃음을 지으며 꽁초들을 모두 가장자리로 가지런히 치웠다. 그렇게 하면 한가운데에서 그리스도가 천사처럼 웅크리고 있는 모습이 눈에 띄기라도 할 것 같은 표정이었는데, 한 번도 실망하는 표정을 지은 적이 없다.)

그 다음에 나타난 것은 무종파든 뭐든 간에 종교적으로 상당히 발전한 사람들의 검증표시였다(나는 관대한 태도로, 귀에 거슬리게 들릴 수도 있는 "종교적으로 발전했다"는 말의 정의에, 위대한 비베카난다*가 말하는 모든 기독교인들을 포함시킨다. 즉 "그리스도를 바라보라, 그러면 너는 기독교인이다. 다른 모든 것은 말뿐이다"). 이런 사람에게서 가장 흔하게 나타나는 검증표시로, 바보처럼 심지어 백치처럼 행동하는 경우가 아주 많다는 것이다. 집안에 진짜 귀족이 있는데, 그가 늘 귀족처럼 행동할 것이라고 믿을 수 없다면 그 가족은 시련을 겪게 된다.

이제 이런 분류는 곧 그만둘 생각이지만, 여기서 마지막으로 그의 가장 까다로운 개인적 특징이라고 생각되는 것을 한 가지만 소개하도록 하겠다. 그것은 그의 언어 습관과 관련된 것이다. 아니, 그의 비정상적인 언어 습관이라고 해야 할까. 말 이야기를 하자면, 그는 우선 트라피스트회** 수도원의 문지기처럼 말수가 적거나 — 가끔 며칠, 몇 주씩 입을 다물고 있을 때도 있었다 — 아니면 쉬지 않고 수다를 떨었다. 흥분을 했을 때는(정확히 말하자면, 늘 거의 모든 이들이 그를 흥분시키고는, 그런 다음에 물론 재빨

---

* 힌두교의 정신적 지도자(1863~1902).
** 성 베네딕트의 규율에 따라 수도원에 들어간 첫 5, 6년간은 침묵을 지키는 가톨릭 종파.

리 그의 곁에 바짝 다가앉아 그만큼 더 쉽게 그의 지혜를 빌리곤 했다)— 한 번에 몇 시간씩 말을 하는 것은 일도 아니었으며, 가끔은 방 안에 하나든 둘이든 열이든 다른 사람이 존재한다는 사실도 의식하지 않아 부담을 가중시켰다.

그는 영감을 받으면 끝도 없이 말하는 사람이었는데, 단호히 주장하거니와, 아주 부드럽게 표현하자면, 아무리 숭고한 업적을 쌓았다 해도 수다꾼이 사람을 늘 즐겁게 할 수는 없는 법이다. 덧붙이자면, 내가 이런 말을 하는 것은 나의 보이지 않는 독자와 "공정한" 게임을 하자는 어떤 역겹지만 고상한 충동 때문이라기보다는—그것보다 훨씬 나쁜 이유 같은데— 이 쉬지 않는 수다꾼이 아무리 발길질해도 끄떡없는 사람이라는 믿음 때문이다. 어쨌든 내 발길질로는 그렇다. 나는 형을 대놓고 '쉬지 않는 수다꾼'이라고 부를 수 있는—어떤 사람을 그렇게 부르는 것은 아주 야비한 일인 듯하다—독특한 입장에 서 있다. 그러면서 동시에, 안된 일이지만 나는 양쪽 소매에 에이스 카드를 잔뜩 감춘 사람처럼, 등을 뒤로 젖히고 앉아 이런 그의 단점을 완화해줄 수 있는 요인들을 수월하게 무더기로 기억해낼 수 있는 입장에 서 있다(그런데 "완화"라는 말은 잘 어울리지 않는 듯하다).

나는 그 요인들 전체를 하나로 압축할 수 있다. 시모어는 사춘기 중반에 이르렀을 무렵—열예닐곱 때—자신의 타고난 언어,

엘리트적이라고는 할 수 없는 그의 많고 많은 뉴욕 식 말버릇들을 통제하게 되었을 뿐 아니라, 그때는 이미 자신의 진정한 정곡의 언어, 시인의 언어에 도달해 있었다. 따라서 그의 쉴새 없는 수다, 그의 독백, 장광설은 처음부터 끝까지 우리를 거의 — 적어도 우리 중 많은 사람들을 — 즐겁게 해주는 쪽이었다. 예컨대 베토벤이 거추장스러운 청각의 방해를 받지 않게 된 뒤에 쏟아낸 엄청난 작품과 마찬가지였는데, 특히 내가 염두에 두고 있는 것은, 약간 까다롭기는 하지만 B플랫 장조와 C샤프 단조 사중주이다. 그렇다 해도 우리는 원래 자식이 일곱인 집안이다. 게다가 공교롭게도 우리 중 누구 하나 입이 무거운 사람이 없었다. 따라서 본래 말이 많고 해설에 능한 여섯 명이 누구에게도 지지 않는 수다쟁이 챔피언을 집 안에 모시고 있으려니 버겁기 짝이 없는 상황이었다. 물론 시모어가 그런 지위를 얻으려 한 적은 없었다. 사실 그는 우리 중 누군가 대화나 논쟁에서 자신을 이기기를, 또는 그저 자신보다 더 오래 이야기하기를 간절히 바라지않았다. 사소한 일이었지만 우리 중 일부는 그것 때문에 더욱더 괴로워했다. 물론 시모어는 그 점을 전혀 알지 못했다 — 다른 사람들과 마찬가지로 그에게도 맹점이 있었던 셈이다. 어쨌든 그 지위는 늘 시모어의 것이었다. 아마 그는 무슨 짓을 해서라도 그 지위에서 물러나고 싶었을 텐데 — 이는 물론 가장 버거운 일이었고, 나 역시 앞으로도 몇 년간은 이 문제에 더 깊이 파고들 수 없을 것이다 — 그렇게 할 수 있는 완벽하게 우아한 방법을 찾아내지 못했다.

이 시점에서 내가 전에 형에 대해 글을 쓴 적이 있다는 이야기를 하는 것은 단지 붙임성 있어 보이기 위함이 아니다. 사실 약간의 기분 좋은 부추김만 있다면, 내가 형에 대해 쓰지 않은 적이 거의 없다는 점도 아마 인정할지 모른다. 그리고 누가 내일 내게 총을 겨누는 바람에 할 수 없이 자리에 앉아 공룡에 대한 이야기를 쓰게 된다 해도, 나는 나도 모르게 그 커다란 공룡에게 시모어를 연상시키는 한두 가지 작은 버릇을 갖다붙일 것이 틀림없다. 예를 들어 솔송나무 우듬지를 물어뜯거나 10미터짜리 꼬리를 흔드는 독특하고 귀여운 모습 같은 것. 가까운 친구들은 안 그랬지만, 어떤 사람들은 내가 출간한 유일한 장편의 젊은 주인공이 시모어를 많이 닮지 않았느냐고 물었다. 사실 그들 대부분은 나에게 물어본 것이 아니라, 그렇다고 단정했다. 그런 말에 조금이라도 저항한다는 것은 벌집을 쑤시는 것이나 다름없다는 것을 알게 되었지만, 형을 알았던 사람이라면 나에게 그런 식으로 묻거나 단정하지 않으리라는 점은 장담할 수 있다. 그 점에 대해 나는 고맙기도 하려니와 어떤 면에서는 상당히 감명을 받기도 한다. 이는 나의 주요한 인물들 가운데 다수가 독특한 관용구가 섞인 맨해튼어를 유창하게 구사하고, 대부분의 염병할 바보들이 무서워서 들어가지 못하는 곳에 쏜살같이 달려드는 공통의 재주가 있으며, 대체로 어떤 '존재', 내 입장에서는 아주 거칠게 말해 '산의 노인'이라고 이야기해두는 것이 편한 어떤 '존재'에게 쫓기는 그런 인물들이기 때문이다.

어쨌거나 내가 말할 수 있고 또 말해두어야 하는 것은 내가 시모어와 직접적으로 관련된 단편을 두 편 쓰고 발표했다는 것이다. 두 편 중에서 나중에 나온 1955년의 단편은 1942년 그의 결혼식에 대한 매우 총괄적인 이야기이다. 세부를 충실히 전달했기 때문에, 독자에게 모든 결혼식 하객의 발자국을 본뜬 셔벗을 집에 가져갈 기념품으로 제공했다고 말할 수 있을 정도이다. 그러나 시모어 자신—요리로 말하자면 메인 코스—은 실제로는 어디에도 등장하지 않는다. 반면에 앞서 1940년대 후반에 나온 훨씬 짧은 단편에서는 그의 육신이 등장할 뿐 아니라 걷고, 말하고, 바다에 해수욕을 하러 가고, 마지막 문단에서는 자기 뇌에 총을 쏜다. 그렇지만 발표된 나의 산문을 보고 거기에서 아무리 자그마한 기술적 실수라도 반드시 집어내곤 하는, 좀 떨어져 살기는 하지만 가장 가깝다고 할 수 있는 나의 가족 몇 사람은 나에게 다정히 말하기를(염병할, 너무 다정하게 느껴졌는데, 보통 그들은 꼭 문법 선생처럼 덤벼들기 때문이다), 그 단편에서 걷고 말하고, 또 총을 쏘기까지 하는 젊은 남자 '시모어'는 전혀 시모어가 아니며, 묘하게도 — 끄응, 안됐지만 — 나 자신을 판에 박은 듯이 닮은 사람이라는 것이었다. 그것은 사실인 듯하다. 적어도 장인(匠人)의 책망하는 소리가 귓가에 울리는 느낌이 들 만큼은 사실이다. 그런 실수에는 적당한 핑계라는 것이 없지만, 그 단편이 시모어가 죽은 지 불과 두 달 만에, 그리고 나 자신이 이야기 속의 '시모어'와 진짜 시모어 둘 다와 마찬가지로 유럽의 전장에서 돌아온 지 얼마 되지 않아 쓴 것이라는 이야기는 꼭 하고 싶다. 나는 당시 균형이 잡혀 있지 않은 것은 말할 것도 없고, 수리상태가 아주 형편 없는 독일 타자기를 사용하고 있었다.

*

아, 이 행복감은 강력하다. 놀라운 해방감을 안겨준다. 이제 나는 자유롭게 당신이 틀림없이 듣고 싶어할 이야기를 해줄 수 있을 듯한 느낌이다. 보나마나 틀림없지만, 당신이 이 세상에서 정상 체온 50도인, 순수한 정신을 가진 그 작은 생물들*을 가장 사랑하는 사람이라면, 자연히 당신이 그 다음으로 좋아하는 피조물 — 신을

---

* 앞서 거론했던 '새'.

사랑하는 사람이든 미워하는 사람이든(그 중간은 절대 없는 듯하다), 성자이든 타락자이든, 도덕주의자이든 부도덕한 사람이든—은 진짜 시를 쓸 줄 아는 사람일 것이다. 인간들 중에서는 시인이 컬루샌드파이퍼이며, 나는 서둘러 당신에게 그의 비행과 체온, 그의 믿을 수 없는 심장에 대해 얼마 안 되지만 내가 알고 있다고 생각하는 것을 말해주겠다.

1948년 초부터 지금까지 나는 형이 죽기 전 삼 년 동안 군대 안팎에서 쓴, 대부분은 그 안에 있을 때, 제대로 그 안에 틀어박혀 있을 때 쓴 짧은 시 184편이 들어 있는 가제식(加除式) 공책을 깔아뭉개고 앉아 있었다. 나는 이제 곧—속으로 며칠 또는 몇 주 후라고 다짐하는데—이 시들 중 약 150편으로부터 일어나 옆으로 물러선 채, 이것을 출판할 용의가 있는 출판업자 중에서 잘 다린 아침 양복과 매우 깨끗한 회색 장갑을 소유한 첫째 사람에게 이 시들을 곧바로 그의 으슥한 인쇄소로 가져가도록 허용할 작정이다. 그렇게 되면 이 시들은 인쇄소에서 두 가지 색의 표지로 묶일 테고, 사람들 앞에서 동료 예술가들의 작품을 놓고 논평하는 일에 대해 전혀 가책을 느끼지 않는 "이름 있는" 시인과 작가들(그들은 관례적으로 좀더 깊은, 마음의 사분의 일쯤이 실린 칭찬은 자기 친구들, 자기보다 못하다고 여기는 사람들, 외국인들, 오래 못 가는 기인들, 다른 분야에서 열심히 일하는 사람들을 위해 아껴

둔다)에게 애걸을 해서 얻어낸, 묘하게 깎아내리는 듯한 찬사의 말 몇 마디가 실린 뒷날개까지 표지에 갖추게 될 것이다. 또한 이 시들은 일요일 문학면에 새로 나온 두툼한 그로버 클리블런드* 전기 결정판의 서평자가 글을 너무 길게 쓰지 않아서 지면이 남게 될 경우, 늘 단골로 등장하는 몇 사람 중 하나나, 적당한 보수를 받는 현학자나, 새 시집을 반드시 지혜롭거나 정열적으로 비평하지는 않지만 간결하게는 비평할 것이라는 믿음을 주는 부수입 소득자들에 의해 시를 사랑하는 대중에게 간결하게 소개될 것이다. (내가 이런 심술궂은 말을 다시 할 것이라고 생각하지는 않는다. 그러나 하게 된다면, 똑같이 투명하게 하려고 시도할 것이다.)

자, 내가 그 시들을 십 년 이상 깔아뭉개고 있었음을 고려할 때, 내가 그 시들로부터 일어서는, 엉덩이를 떼는 쪽을 택한 이유, 내가 생각하기에 중요하다고 생각하는 두 가지 이유를 제시하는 것도 좋을 — 개운할 정도로 정상적이거나, 적어도 비꼬인 태도는 아닐 — 것이다. 그 두 가지 이유를 모두 군용 배낭에 집어넣듯이 하나의 문단 속에 집어넣는 것이 좋겠다. 일단은 그 둘이 함께 붙어 있도록 만들고 싶기 때문이고, 또 한편으로는 여행하는 동안 나에게 그것들이 두 번 다시 필요하지 않을 것이라는, 어쩌면 충

---

* 미국의 22, 24대 대통령(1837~1908).

동적일지도 모르는 생각이 들기 때문이다.

첫째로 가족의 압력이라는 문제가 있다. 이것은 내가 듣고 싶은 만큼 이상으로 더 흔하지는 않다 해도, 틀림없이 아주 흔한 일이기는 한데, 어쨌든 나에게는 배울 만큼 배웠고, 약간 절제 없다 싶을 정도로 말을 딱 부러지게 하는 남동생과 여동생 넷이 살아 있으며, 그들에게는 유대인 피도 섞여 있고, 아일랜드인 피도 섞여 있고, 아마도 미노타우로스*의 피도 섞여 있을 것이다. 두 남동생 가운데 하나인 웨이커는 전에는 방랑하는 카르투지오 수도회의 수사 기자였으나 지금은 울 안에 갇혀 있고, 다른 한 명 주이는 웨이커와 마찬가지로 뜨거운 부르심으로 선택받은 무종파 배우인데, 각각 서른여섯 살과 스물아홉 살이다. 두 여동생 중 하나인 프래니는 이제 막 피어나는 젊은 여배우이고, 활기차고 사람을 편하게 해주는 부 부는 웨스트체스터에서 수간호사로 일하고 있는데, 각각 스물다섯 살과 서른여덟 살이다. 1949년 이래로 드문드문, 신학교와 기숙학교, 여성병원의 산부인과 병동과 퀸엘리자베스 호의 수면 아래 높이에 있는 교환학생 집필실에서, 말하자면 시험과 총연습과 아침 기도와 두시 급식 사이사이에 이 네 명의 저명인사 모두 나에게 편지를 보내, 내가 시모어의 시를 빨리

---

* 그리스 신화에 나오는 반인반수의 괴물.

어떻게든 처리하지 않으면 나에게 어떤 일이 일어날지에 대해, 제시하지는 않았지만 불길한 느낌은 분명히 전달하는 일련의 최후 통첩들을 해왔다.

　너무 늦기 전에, 내가 글쟁이일 뿐 아니라 캐나다 국경에서 멀지 않은 뉴욕 북부의 한 여자대학 영문과에서 강사로 일하고 있다는 사실도 밝혀두어야겠다. 나는 산의 양쪽 면 중에 사람들이 접근하기 힘든 쪽의 숲 깊은 곳에 자리잡은, 옹색하다고는 할 수 없지만 아주 수수하고 자그마한 집에서 혼자 살고 있다(그러나, 모두 알아주면 좋겠는데, 고양이는 없다). 나는 일하는 주 또는 해에는 학생, 교수, 중년의 여종업원들을 제외하면 사람들을 거의 만나지 않는다. 간단히 말해서 나는 일종의 문학적 자폐상태에 있으며, 따라서 의심할 바 없이 우편으로 나에게 어떤 강요를 하거나 괴롭히기가 쉽지 않다. 그럼에도 누구에게나 포화점이라는 것이 있어서, 이제는 우편함을 열 때마다 농기구 홍보물이나 은행 통지서들 사이에 내 남동생들이나 여동생들 중 하나가 보낸 길고 수다스럽고 위협적인 우편엽서가 웅크리고 있지나 않을까 하는 생각에 지나친 공포를 느끼고 있다. 특히 이 말은 덧붙여둘 만한 듯한데, 그중 둘은 볼펜을 사용한다.

　그 시들에서 손을 떼기로, 출판하기로 결정한 둘째 주요 이유는 어떤 면에서는 사실 감정적이라기보다는 신체적이다. (공작새처럼 자랑스럽게 말하거니와, 곧이어 수사의 늪이 이어진다.)
1959년에 큰 화제가 되었던, 방사능 입자가 인간 신체에 미치는
영향은 예전부터 시를 사랑해온 사람들에게는 새로운 것이 아니
다. 절제해서 이용하기만 한다면, 일급의 운문은 탁월하고 또 대
개 효과가 빠른 열 치료요법이 된다. 군대에 있을 때 한 석 달간 전
이성 늑막염이라고 할 만한 것에 걸린 적이 있는데, 내가 그 병에
서 처음으로 편해진 것은 완벽히 순수해 보이는 블레이크*의 서
정시를 찜질약처럼 셔츠 호주머니에 넣고 하루 정도 돌아다녔을
때였다. 그러나 극단은 늘 위험하고, 대개 분명히 해로운 법이어
서, 우리 모두가 보통의 일급 시에 대해 익히 알고 있는 것들을 넘
어서는 듯한 시와의 장기 접촉은 무서운 결과를 낳을 수 있다. 어
쨌든 형의 시들이 잠시라도 이 작은 영역에서 벗어나는 것을 본다
면 안도할 수 있을 것 같았다. 나는 가볍게이기는 하지만, 넓은 부
분에 걸쳐 화상을 입은 느낌이다.

　내 관점에서 보기에 가장 건실한 근거에 입각해서 말하자면,
시모어는 사춘기의 많은 시간과 성인기 전체에 걸쳐 우선 중국 시
에, 그리고 일본 시에 깊이 빠졌다. 시모어가 이 두 시에 끌리는
방식은 세계의 다른 어느 나라 시에 끌리는 방식과도 달랐다.† 물

＊ 영국의 시인, 화가(1757∼1827).

† 이 글은 일종의 기록이기 때문에 나는 이 자리에서 시모어가 중국 시와 일본

론, 나 때문에 괴로움을 당하고 있지만 그럼에도 귀중한 존재인 나의 일반 독자가 중국 시나 일본 시를 얼마나 잘 알고 있는지, 또는 모르고 있는지 나로서는 빨리 알아낼 수 있는 방법이 없다. 그러나 그 시들에 대해 짧게 이야기하기만 해도 형의 본성을 아는 데 큰 도움을 얻을 수 있다는 점을 고려할 때, 지금은 내가 과묵해지거나 참을성을 보일 때가 아닌 것 같다.

효과가 가장 뛰어난 중국과 일본의 고전시들은 그 언어가 명료

시 대부분을 씌어진 대로 읽었다는 이야기를 해두어야 할 것 같다. 다시 기회가 오면, 아마도 넌더리가 날 정도로 길게―어쨌든 나한테 그렇다―우리 가족 원래의 일곱 자녀들이 어느 정도는 공통적으로라고 할 수 있는, 타고난 이상한 특징에 대해 생각을 해볼 텐데, 그것은 우리 가운데 셋이 다리를 전다는 사실과 마찬가지로 명백한 일이지만, 외국어를 아주 쉽게 배운다는 것이다. 그러나 이 주석은 주로 젊은 독자들을 위한 것이다. 내가 할 일을 하는 중에 혹시나 부수적으로 몇몇 젊은이의 중국 시와 일본 시에 대한 관심을 자극하게 된다면, 그것은 나에게 아주 보람 있는 일이 될 것이다. 어쨌든 혹시 아직 모르고 있는 젊은 이들이 있다면 알려주고 싶은 것은 저명한 몇몇 사람들이 일급의 중국 시들을 충실하면서도 맛을 살리는 방식으로 꽤 많이 번역해놓았다는 것이다. 먼저 떠오르는 사람이 위터 바이너와 라이오넬 가일스이다. R. H. 블라이스가 번역한 일본 최고의 단시들―특히 하이쿠(俳句), 그러나 센류(川柳)도 마찬가지이다―이라면 특별한 만족을 얻을 수 있다. 물론 블라이스는 그 자신이 고압적인 한 편의 오래된 시와 같기 때문에 가끔 위험해지기도 하지만, 동시에 숭고하기도 하다―사실 안전을 위해 시에 다가가는 사람이 어디 있겠는가? (이 마지막 현학적인 말은, 반복하지만, 작가들에게 편지를 쓰지만 결코 그 짐승들로부터 답장을 받지 못하는 젊은이들을 위한 것이다. 또 한편으로는 이 글의 주인공을 대신해서 하는 말이기도 한데, 가엾게도 그 역시 선생이었다.)

하며, 그것에 초대받아 귀를 기울이는 사람들을 즐겁게 해주거나, 깨닫게 해주거나, 거의 삶의 한계까지 확장되도록 만들어준다. 이 시들은 대체로, 혹은 대부분의 경우, 듣기에 좋은 시들이지만, 대부분 중국이나 일본 시인을 살펴보면, 시인의 진정한 장점은 좋은 감이나 좋은 게나 좋은 팔 위의 좋은 모기 물린 자국*을 보았을 때 그것을 바로 인식해낼 수 있는 데 있다. 그렇지 않으면 그의 의미론적 또는 지적인 장(腸)**이 아무리 길거나 특이하거나 매혹적이라 해도, 그 창잣줄을 퉁겼을 때 나는 소리가 아무리 현혹적이라 해도, '신비한 동양'에서는 아무도 그를 진지한 시인으로 대접해주지 않는다. 나는 나의 내적인, 끊이지 않는 고양, 되풀이하여 말하지만 내 딴에는 정당하게도 행복이라고 부르는 것이 이 글 전체를 바보의 독백으로 바꾸어버릴 만큼 위협적임을 깨닫게 된다. 그러나 나조차도 무엇이 중국이나 일본의 시인을 그런 경이적이고 환희에 찬 존재로 만들어주는지 이야기하려 들 정도로 뻔뻔스럽지는 않다. 그러나 뭔가 (무엇인지 알고 싶지 않은가?) 내 마음에 떠오른다. (나는 그것이 내가 찾던 바로 그것이라고 생각하지는 않지만, 이것을 그냥 내던질 수 없다.)

---

* 모기에 물리는 것에 관한 일본의 하이쿠 시인 잇사(一茶, 1763~1828)의 시를 말하고 있다.
** 예전에는 악기의 현을 짐승의 창자로 만들기도 했다.

전에, 아주 오래 전에, 시모어와 내가 각각 여덟 살, 여섯 살이었을 때, 우리 부모는 뉴욕의 오래된 앨러맥 호텔에 있는 우리의 방 세 개 반짜리 숙소에서 거의 육십여 명의 사람들을 불러 파티를 열었다. 우리 부모는 보드빌 계에서 공식적으로 은퇴를 할 예정이었기 때문에, 이 파티는 기념행사인 동시에 감동적인 면도 있는 행사였다. 우리 둘은 열한시쯤 침대에서 나와 구경을 해도 좋다는 허락을 받았다. 그러나 우리는 단지 구경만 한 것은 아니었다. 사람들 요청도 있었고 또 우리도 전혀 싫지 않았기 때문에, 우리는 우리 같은 지위에 있는 아이들이 그러듯이 춤을 추고 노래를 했는데, 처음에는 번갈아 했고, 이어 같이 했다. 그러나 대개는 자지 않으려고 눈을 부릅뜨고 구경만 했다. 새벽 두시쯤 되어 사람들이 떠나기 시작할 무렵 시모어는 베시—우리 어머니—에게 떠나는 손님들의 외투를 갖다주는 일을 맡겨달라고 졸랐다. 외투들은 작은 아파트 여기저기에, 심지어 잠자고 있던 우리 여동생들 침대 발치에까지 걸리고, 걸쳐지고, 던져지고, 쌓여 있었다. 시모어와 나는 열두 명 정도의 손님은 아주 잘 알고 있었고, 열 명 정도는 보거나 들어서 알았지만, 나머지는 전혀, 혹은 거의 몰랐다. 덧붙이자면 사람들이 도착했을 때 우리는 모두 잠자리에 들어가 있었다. 그러나 세 시간 정도 손님들을 지켜보고, 그들에게 싱긋싱긋 웃음을 짓고, 또 아마도 그들을 사랑했기 때문이겠지만, 시모어는 한 마디 물어보지도 않고 거의 모든 손님들에게 한 번에 외투 하나 또는 둘씩을 가져다주었다. 물론 한 번도 틀리지 않았으며, 남자의 경우에는 모자까지 가져다주었다. (여자의 모자에는 약간 문제가 있었다.)

자, 나는 꼭 중국이나 일본의 시인이 이런 묘기를 보인다고 주장하려는 것은 아니고, 물론 이렇게 하는 것이 그를 시인으로 만든다고 이야기하려는 것도 아니다. 그러나 중국이나 일본의 시인이 척 보고 외투 주인을 알아보지 못한다면, 그의 시가 숙성할 가능성은 현저히 낮아진다는 것이 나의 생각이다. 또 여덟 살은 이작은 묘기를 습득할 수 있는 연령적 한계에 매우 근접하는 나이인 것 같다.

(아니, 아니, 지금 멈출 수는 없다. 지금 내 '상태'는, 시인으로서 형의 위치를 내세우려 하기만 하고 있는 것은 아닌 듯하다. 적어도 일이 분 동안은 이 염병할 세계에서 모든 폭탄의 뇌관을 제거하고 있는 듯한 느낌이다. 이는 사회에 대한 아주 작은, 순수하다 할 정도로 일시적인 것임이 틀림없지만, 어디까지나 나 자신의 것인 호의이다.)

중국과 일본의 시인들이 단순한 주제를 가장 좋아한다는 것은 일반적으로 합의된 사실이며, 따라서 내가 그 점을 반박하려 한다면 스스로 평소보다 더 백치 같은 느낌이 들겠지만, 어쨌거나

"단순하다"는 말은 내가 개인적으로 독(毒)처럼 싫어하는 말이다. 그 말은, 적어도 내가 살던 곳에서는, 관례적으로 터무니없이 짧고, 일반적으로 시간 절약용이며, 사소하고, 단조롭고, 요약된 것에 붙이는 말이었기 때문이다. 나의 개인적인 공포증은 둘째로 치더라도, 나는 사실 중국이나 일본 시인의 소재 선택을 묘사할 만한 말이, 다행히도 어떤 언어로도 존재하지 않는다고 생각한다. 누구도 다음과 같은 일에 적합한 말을 찾을 수는 없을 것이다. 오만하고 건방진 각료가 뜰을 걸으며 그날 아침 황제의 면전에서 자신이 했던 말 중에서도 특히 파괴적이었던 말을 되새겨보다가, 안타까운 마음으로 누군가 잃어버렸거나 버린, 묵화를 밟는다. (아아 슬프게도, 우리의 마음속에는 산문작가가 존재하기 때문에, 동양의 시인이라면 그러지 않아도 될 곳에서 나는 강조체를 사용해야 한다.) 위대한 시인 잇사 같으면 정원에 큼지막한 모란이 한 송이 있다고 우리에게 즐겁게 조언해줄 것이다. (그 이상도 그 이하도 아니다. 우리가 그의 큼지막한 모란을 직접 보러 갈 것이냐 말 것이냐는 다른 문제이다. 내가 거명할 입장은 아니지만, 일부 산문작가들이나 서구의 삼류 시인들과는 달리 그는 경찰처럼 우리를 단속하지 않는다.) 잇사의 이름을 언급하는 것만으로도 진정한 시인은 소재를 선택하지 않는다는 확신이 든다. 분명히 소재가 시인을 선택하지, 시인이 소재를 선택하는 것이 아니다. 큼지막한 모란은 잇사 외의 누구에게도 자신을 드러내지 않을 것이다. 이는 부손(蕪村)*에게도, 시키(子規)**에게도, 심지어 바쇼(芭蕉)***에게도 해당된다.

산문적인 수정만 약간 거치면, 똑같은 규칙이 그 오만하고 건방진 각료에게도 적용된다. 그는 위대한 평민이고, 사생아이자, 시인인 라오 티카오가 현장에 도착하여 그 장면을 보기 전에는 감히 먼저 거룩하고 인간적인 안타까움을 품고 묵화 조각을 밟을 수 없는 것이다. 중국 시나 일본 시의 기적은 한 사람의 순수한 시인의 목소리가 다른 시인의 목소리와 절대적으로 똑같은 동시에 절대적으로 독특하고 다르다는 것이다. 탕리는 아흔세 살에 이르러 지혜와 자비로 인해 면전에서 찬사를 받을 때 자신이 치질 때문에 죽어가고 있다고 털어놓는다. 다른 예, 마지막 예로, 고황(顧況)****은 눈물을 줄줄 흘리며, 돌아가신 스승은 식사 습관이 몹시 나빴다고 이야기한다. (서양에 대해서는 늘 약간 지나치게 잔인해질 위험이 없잖아 있다. 카프카의 일기에는 구정〔舊正〕이 왔음을 다음과 같이 간단하게 알려줄 수 있는 문장 하나―사실 아주 많은

---

* 오사카 출신의 하이쿠 시인(1716~1784).
** 하이쿠 혁신을 시도한 메이지 시대의 시인(1867~1902). 나쓰메 소세키의 친구였다.
*** 하이쿠 시인(1644~1694). 선(禪)적인 깨달음을 노래했다.
**** 당나라 시인(727~815). 소주 출신으로 주로 사실풍자적인 시를 지었다.

구절들 가운데 한 줄이다 — 가 있다. "소녀는 애인과 팔짱을 끼고 걷고 있었기 때문에 조용히 주위를 둘러보았다.") 나의 형 시모어에 대해서는 — 아, 그래, 나의 형 시모어. 이 셈-켈트 족 동양인에 대해서는 — 완전히 새로운 문단이 필요하다.

공식적으로 확인된 바는 없지만, 시모어는 우리와 함께 머물다 간 서른한 해 동안 내내 중국 시와 일본 시를 쓰고 말했다. 그러나 그가 시쓰기를 시작한 것은 열한 살의 어느 날 아침, 브로드웨이 북부 우리 집 근처에 있는 공립 도서관의 1층 독서실에서였다고 밝히고 싶다. 토요일이라 수업이 없었고, 점심식사 외에는 아무런 압박감을 느끼지 않아도 되었기 때문에, 우리는 서가 사이에서 한가하게 수영을 하거나, 헤엄을 치며 즐거운 시간을 보내고 있었고, 가끔씩 새로운 작가들을 향해 잠깐 진지하게 낚시질을 해보기도 했다. 그때 갑자기 시모어가 나한테 손짓을 하더니 와서 자기가 들고 있는 것을 보라고 했다. 그는 11세기의 경이라고 할 수 있는 황정견(黃庭堅)*의 번역시로 주위를 몽땅 어질러놓고 있었다. 그러나 다 알다시피 도서관이든 다른 어느 곳이든 낚시를 한다는 것은 까다로운 일이어서, 누가 누구를 잡게 될지 결코 확실히 알 수가 없다. (낚시라는 행위의 우연성도 시모어가 좋아

---

* 송나라 시인(1050~1110). 소동파와 함께 송대의 4대 시인으로 불렸다.

하는 주제였다. 우리 남동생 월트는 어렸을 때 굽은 핀으로 하는 낚시를 잘했는데, 아홉 살인가 열 살 생일에 시모어에게서 시를 선물받았다. 그것은 아마 그의 인생에서 가장 크게 기뻤던 일로 꼽힐 것이다. 그 시는 부잣집 아들이 허드슨 강에서 라파예트*를 낚는 이야기이다. 소년은 그 물고기를 감아 올리면서 자신의 아랫입술에 심한 통증을 느끼지만 그 일을 마음에서 곧 털어버린다. 그러나 집에 돌아와 아직 살아 있는 물고기를 욕조에 풀어놓자, 그 물고기는 꼭대기에 소년의 학교 휘장과 똑같은 것이 달린 파란 서지 모자를 쓰고 있다. 소년이 물에 젖은 작은 모자를 꺼내보자, 안에는 자신의 이름표가 붙어 있다.)

시모어는 그날 아침 이후 영원히 바늘에 걸렸다. 시모어가 열네 살이 되었을 때 우리 가족 중 한두 명은 그가 느슨한 체육 시간이나 치과에서 오래 기다리는 동안 적어놓은 멋진 시가 혹시 없나해서 재킷이나 점퍼를 뒤지곤 했다. (이 문장을 쓴 지 하루가 지났다. 그 사이에 나는 나의 '영업장'에서 터카호에 살고 있는 여동생 부 부에게 장거리 전화를 걸어, 시모어가 아주 어렸을 때 쓴 시들 중 이 이야기에 특별히 집어넣고 싶은 시가 있느냐고 물었다. 부 부는 전화를 해주겠다고 말했다. 그애가 뽑은 시는 내가 원하

---

* 대서양 연안에서 나는 조그만 물고기.

는 만큼 현재의 목적에 어울리지 않아 약간 짜증이 났지만 뭐, 곧 괜찮아질 것이다. 어쨌든 그애가 뽑은 시는 내가 알게 된 바로는, 시인이 여덟 살 때 쓴 시였다. "존 키츠*/존 키츠/존/목도리를 둘러주세요.")

시모어가 스물둘이 되자 특별하고, 꽤 두툼한 시 묶음이 쌓였는데, 내가 보기에는 무척, 무척 좋았기 때문에, 손으로 쓴 것은 단 한 구절이라도 그 즉시 11포인트 활자로 시각화해보는 버릇이 있었던 나는 약간 성마르게 그것을 어디에 보내어 출판하라고 다그쳤다. 아냐, 그럴 수 없을 것 같아. 아직은 안 돼. 어쩌면 앞으로도 안 그럴지 몰라. 이 시들은 너무 비(非)서구적이고, 너무 연꽃 같아. 시모어는 그 시들에서 희미하게 모욕적인 느낌이 든다고 말했다. 그 자신도 그런 모욕적인 느낌이 어디서 오는지 아직은 설명할 수 없으나, 가끔 그 시들이 말하자면 배은망덕한 사람, 자신의 환경과 그 환경 안에서 가까운 사람들에게 등을 돌리는 —적어도 결과적으로는— 사람이 쓴 듯한 느낌이 든다는 거였다. 그는 자신이 우리 집 커다란 냉장고에서 음식을 꺼내 먹고, 우리 집 8기통짜리 미국 차를 타고 다니고, 아플 때는 망설임 없이 우리 집 약을 먹고, 미군이 부모형제를 히틀러의 독일로부터 지켜

---

* 영국의 시인(1795~1821).

줄 것이라고 믿고 있는데, 그의 시 전체에서 어느 것도, 단 한 가지도 이런 현실을 반영하지 않는다고 말했다. 뭔가 엄청나게 잘못된 거야.

그는 시를 마무리짓고 나서는 오버먼 양을 생각한 적이 아주 많다고 했다. 오버먼 양은 우리가 어렸을 때 자주 들르던 뉴욕 공립 도서관 제1지부의 사서였다. 시모어는 자신이 오버먼 양 덕분에 자신의 독특한 기준과 일치하면서도, 그냥 척 보았을 때는 오버먼 양의 취향과도 완전히 어긋나지는 않는 시 형식을 찾으려는, 수고스럽고 끈기 있는 노력을 기울이게 되었다고 말했다. 시모어가 거기까지 말했을 때, 나는 그에게 차분하고, 참을성 있게ㅡ그러면서도 물론 염병할 내 목청껏ㅡ내가 생각할 때 시의 심판자로서, 심지어 독자로서 오버먼 양의 약점이라 여겨지는 면들을 나열했다. 그러자 시모어는 오버먼 양이 시의 심판관으로서 부족함이 있든 없든, 그녀는 그가 공립도서관에 들어갔던 첫날(여섯 살에 혼자서) 레오나르도 다빈치의 투석기 도판이 실린 책장을 그의 앞에 환하게 펼쳐놓은 사람이다. 따라서 그가 시를 마무리지었을 때, 오버먼 양이 그녀가 사랑하는 브라우닝 씨, 또는 그녀가 똑같이 사랑하고, 또 똑같이 노골적으로 그 사랑을 표현하는 워즈워스 씨로부터 상쾌한 기분으로 빠져나온 직후에ㅡ그런 일은 흔했는데ㅡ자신의 시를 읽게 되면, 즐거움을 느끼지 못한다거나, 몰입하는 데 어려움을 느낄 거라는 생각을 하게 되면 기분이 좋지 않다고 말했다.

언쟁 — 나에게는 언쟁, 그에게는 토론 — 은 거기에서 끝이 났다. 시인의 기능이란 그냥 자신이 써야만 하는 것을 쓰는 것이 아니라, 자신의 옛 사서들을 가능한 한 인간적으로 최대한 배려하는 스타일을 유지하면서도 자신이 써야 할 것을 쓰는 데 목숨을 건 사람이 썼을 법한 것을 쓰는 것이라고 믿고 있거나, 혹은 정열적으로 그렇게 생각하는 사람과 언쟁을 할 수는 없는 노릇이니까.

신실하고, 끈기 있고, 연금술적으로 순수한 사람들에게는 이 세상의 모든 중요한 일들 — 어쩌면 단순히 말뿐일 수도 있는 삶과 죽음이 아니라 진짜 중요한 일들 — 이 대체로 아름답게 풀려 나간다. 시모어는 죽기 전 삼 년 동안 노련한 장인에게만 허용될 수 있는 가장 심오한 만족감을 맛보았을 것이다. 시모어는 자신에게 적당한 형태의 작시법을 스스로 발견했는데, 이는 오랜 세월에 걸친 시에 대한 그의 요구에 부응하는 것이었다. 또한 오버 먼 양이 살아 있었다면, 그의 시가 인상적으로 보인다고, 아니 어쩌면 잘빠졌다고 생각했을 것이고, 그녀가 자신의 오랜 연인들인 브라우닝이나 워즈워스에게와 마찬가지로 그의 시에도 인색하지 않게 주의를 집중했다면 틀림없이 "몰입" 했을 것이다. 그가 스스로 찾아낸 것, 또 그가 스스로 달성한 것을 묘사하기는 정말 쉽지 않다.[†] 그러나 우선 시모어는 어쩌면 고전적인 일본식의 3행, 17 음절로 된 하이쿠를 다른 어떤 시 형식보다 사랑했을 것이며, 그 자신이 하이쿠를—피 흘리듯이—썼다는(거의 늘 영어로 썼지만, 내가 다음 사실을 덧붙이면서 머뭇거리고 있는 것이 눈에 보였으면 좋겠는데, 일본어, 독일어, 이탈리아어로도 썼다) 말부터 하는 것이 도움이 될지도 모르겠다. 시모어의 후기 시 한 편은 실제로 이중 하이쿠—이런 것이 있다면—의 영어 번역처럼 보인다고 할 수 있을 것이며, 앞으로 사람들이 그렇게 일컫게 될 가능성이 높다.

그 점에 대해 이의를 달 생각은 없지만, 1970년[*]에 어느 지쳤지만 아직 장난을 칠 만한 기력은 남은 영문과 교수—가엾게도 어쩌면 나 자신이 될지도 모르겠다—가 시모어의 시 한 편과 하이쿠의 관계가 더블 마티니와 보통 마티니의 관계와 같다는 그럴듯한 이야기를 떠벌릴 가능성이 높다는 생각을 하면 구역질이 치밀

[†] 여기서 시도해볼 수 있는 정상적이고도 유일하게 합리적인 일은 그 시들 중 한두 편, 또는 184편 전체를 늘어놓고 독자더러 직접 보라고 하는 것이다. 그러나 그럴 수가 없다. 나는 그 시들을 깔아뭉개고, 편집하고, 돌보고, 마지막에 그 시들을 양장본으로 내줄 출판사를 구하는 일까지는 허락받았지만, 그 시들을 소유하고 있는 시인의 미망인은 극히 개인적인 이유들 때문에 그 시들을 이곳에 인용하는 것을 금지했다.

[*] 이 작품은 1959년에 『뉴요커』지에 발표되었다.

곤 한다. 현학적인 체하는 사람들은 자신이 하는 말이 사실이 아니라 해도, 강의실 분위기가 적당히 달아올라 자신의 말을 받아들일 때가 되었다는 느낌이 들면 중단하지 않는 법이다.

어쨌든 나는 가능한 때가 되면 이 이야기를 좀 천천히, 주의 깊게 해둘 생각이다. 시모어의 후기 시 한 편은 36행이며, 특정한 운율은 없지만, 대체로 약강격(弱强格)이라 할 수 있다. 한편으로는 죽은 일본 거장들에 대한 애정 때문이기도 하고, 다른 한편으로는 시인으로서 매혹적인 제한 구역 안에서 작업하고 싶어하는 타고난 경향 때문이기도 하겠지만, 그는 의도적으로 34음절, 즉 고전적 하이쿠의 두 배가 되는 음절을 고수했다. 그것을 제외하면, 현재 내 지붕 아래 있는 184편의 시 중 어떤 것도 시모어 자신 외에는 누구와도 닮지 않았다. 음향 효과만 보아도 그것은 시모어만의 독특한 것이다. 즉, 그의 모든 시는, 시는 이래야 한다고 믿었던 시모어의 믿음에 따라, 큰 소리 없이 조용하지만, 그럼에도 협화음(덜 흉악한 표현이 떠오르지 않아 쓴 말이다)이 가끔씩 짧게 터져나온다. 나 개인적으로는 그 소리를 들으면 누군가—틀림없이 정신이 말짱한 사람은 아닐 것이다—내 방문을 열고, 코넷을 입에 댄 채 방 안을 향해 나무랄 데 없는 전문가다운 솜씨로 달콤한 서너 개의 음표를 분 다음 사라지는 듯한 느낌을 받는다. (나는 한 번도 시를 읽으면서 코넷을 부는 듯한 인상을 주는 시인을 만난 적이 없다. 하물며 그것을 아름답게 부는 시인은. 하지만 그 점에 대해서는 웬만하면 말을 하지 않는 게 낫겠다. 아니, 아예 아무 말도 하지 않는 편이 낫겠다.)

시모어는 이 6행 구조와 야릇한 화성(和聲) 안에서 시를 가지고 하려 했던 것을 그대로 행하고 있는 것 같다. 184편 가운데 절대 다수는 쾌활하지는 않지만 헤아릴 수 없을 정도로 고결하며, 누구든, 어디에서든, 심지어 폭풍우 치는 밤의 약간 진보적인 고아원에서라도 낭독할 수 있다. 그러나 마지막 30 내지 35편의 시는 살면서 적어도 두 번 이상 죽어보지 않은—그것도 천천히 죽는 것일수록 더 좋다—사람에게는 선뜻 권하고 싶지 않다. 나더러 마음에 드는 것을 한번 골라보라고 한다면—물론 분명히 있는데—이 묶음 가운데 마지막 두 편을 꼽고 싶다. 그 시들이 무슨 이야기인지 아주 간단히 말한다 해서 누군가의 권리를 침해하게 되지는 않을 것이다.

마지막에서 두번째 시는 젊은 기혼녀이자 어머니인 한 여자에 대한 것인데, 그녀는 여기 내 구식 결혼 교범이 지칭하는 바에 따르면 분명히 혼외정사를 벌이고 있다. 시모어는 그녀를 묘사하지는 않는다. 그러나 그녀는 코넷이 약간 특별한 효과를 낼 때쯤 시구 안으로 들어온다. 내 눈에 보이는 그녀는 아주 예쁘고, 적당히 똑똑하며, 적당한 선보다 조금 더 불행하고, 메트로폴리탄 미술

168

관에서 한두 블록 떨어진 곳에 살고 있을 가능성이 없지 않다. 그녀는 어느 날 밤늦게 밀회를 마치고 돌아와—내 머릿속에는 눈이 흐릿하고 립스틱이 번진 모습이 그려진다—침대 커버에서 풍선을 하나 발견한다. 시인은 이야기하지 않지만, 그 풍선은 바람을 잔뜩 넣은 커다란 장난감 풍선일 수밖에 없는데, 어쩌면 봄의 센트럴 파크 같은 녹색일지도 모른다.

이 묶음 중 마지막에 자리 잡은 또 하나의 시는 교외의 젊은 홀아비에 대한 것이다. 그는 어느 날 밤 파자마에 가운 차림으로 잔디밭에 앉아 묵묵히 보름달을 보고 있다. 그의 가족 구성원임이 분명하고, 또 전에는 그중에서도 중심 자리를 차지했을 것이 거의 틀림없는 따분한 흰 고양이가 그에게 다가와 몸을 굴리는데, 그는 달을 바라보며 고양이가 자기 왼손을 물도록 내버려둔다. 사실 이 마지막 시는 아주 특별한 두 가지 점 때문에 나의 일반 독자도 각별한 관심을 가질 법하다. 여기서 그 점들을 한번 논의해보고 싶다.

대부분의 시, 특히 중국이나 일본의 "영향"을 받은 시들이 그렇듯, 시모어의 시들 역시 모두 알몸뚱이였으며, 늘 장식이 없었다. 그러나 약 여섯 달 전 여동생 프래니가 주말에 이곳에 들렀다가 우연히 내 책상 서랍을 뒤지게 되었는데, 방금 내가 (한심하게) 줄거리를 늘어놓은 그 홀아비에 대한 시가 그애 눈에 띄었다. 타자를 다시 치느라고 다른 시들과 떨어져 있었기 때문이다. 엄밀히 하자면 지금 이 자리에서는 밝힐 필요가 없는 몇 가지 이유로 그애는 그 시를 전에 읽지 못했고, 따라서 당연히 그 자리에서 그것을 읽었다. 나중에 프래니는 나에게 그 시에 대해 이야기하면서 물었다.

왜 시모어는 그 젊은 홀아비가 하얀 고양이에게 물린 손을 왼손으로 정했을까? 그애는 거기에 마음이 쓰였다. 프래니는 그 "왼쪽"이 시모어보다는 나에게 더 어울린다고 말했다. 물론 세부에 대한 나의 전문적인 관심이 점차 늘어가는 것을 겨냥한 그애의 비방에 가까운 잔소리는 별도로 하고 이야기하자면, 프래니의 말은 그 형용사가 눈에 거슬리고, 지나치게 노골적이고, 시적이지 않은 느낌이라는 뜻이라고 생각한다. 그러나 나는 프래니를 설복시켰으며, 솔직히 말해서, 필요하다면 당신도 설복시킬 각오가 되어 있다. 내 생각으로는 하얀 고양이가 바늘처럼 날카로운 이빨을 쑤셔넣은 것이 그 젊은 홀아비의 왼손, 차선의 손이라는 점, 그래서 그는 자유로운 오른손으로 가슴이나 이마를 칠 수 있었다는 점이 시모어에게는 매우 중요했을 것이라는 확신이 선다 ― 많은 독자들에게는 정말이지 매우, 매우 지루한 분석으로 여겨질지도 모르겠다. 실제로 그럴지도 모른다. 그러나 나는 형이 인간의 손에 대해 어떤 느낌을 가지고 있는지 알고 있다.

게다가 이것 외에도 이 문제에는 또 한 가지, 아주 중요한 측면이 있다. 이 문제를 길게 이야기하는 것은 약간 품위 없어 보일지도 모르겠다. 모르는 사람에게 전화로 〈에이비의 아일랜드 장미〉* 대본 전체를 읽어주겠다고 하는 것과 비슷할 것이다. 그러나 시모어는 반은 유대인이었으며, 내가 이 주제에 대해 위대한 카프카와 같은 절대적 권위를 가지고 이야기할 수 있는 입장은 아니지만, 그래도 나이를 마흔이나 먹은 지금, 어느 정도 생각이 있는 사람 중에 핏줄에 셈족의 피가 많이 흐르는 사람에 대해 나는 다음과 같은 추측을 해볼 수 있다. 그가 자신의 손과 묘하게 친밀한, 거의 서로 알음알이가 되는 관계로 살고 있거나 살아왔다면, 아주 오랜 세월 동안 상징적으로든 또는 말 그대로든 손을 호주머니에 넣고 살아왔다 해도(안됐지만, 그가 파티에 데려오고 싶어하지 않을 뻔뻔스러운 친구 두 사람쯤이나 친척들의 경우와 항상 매우 다르지는 않게) 위기시에는 그 두 손을 이용하기도 하고, 얼른 주머니 밖으로 꺼내기도 하며, 또 급박할 때는 두 손으로 뭔가 과격한 일, 예를 들어 시 중에서 고양이가 문 것이 왼손이었다고 언급하는 일과 같은 별로 시적이지 않은 일을 자주 할 것이라는 사실 정도는 아주 맑은 정신으로 추측해볼 수 있다.

---

* 앤 니콜스의 작품으로, 유대계 청년과 아일랜드 계 처녀의 결혼을 그린 브로드웨이 연극.

사실 시는 틀림없는 하나의 위기이며, 어쩌면 우리가 자신의 것이라고 부를 수 있는 위기 중에서 유일하게 기소(起訴) 가능한 것인지도 모른다. (군말이 많아 미안하다. 불행하게도 앞으로 더 많을지도 모른다.) 그 시가 나의 일반 독자에게 특별한 — 그리고 바라건대는 진짜 — 흥미를 줄 수 있다고 생각하는 둘째 이유는 그 시에 들어 있는 묘한 개인적인 힘이다. 나는 인쇄된 시 중에서 그런 시와 같은 것을 본 적이 없는데, 또 지각없이 덧붙이건대, 아주 어렸을 때부터 서른을 훨씬 넘기기까지 나는 매일 하루에 이십 만 단어 이하를 읽어본 적이 거의 없고, 사십만 가까이 읽은 경우도 많다. 솔직히 마흔이 되면서 글에 대한 굶주림의 느낌조차 거의 사라져서 젊은 숙녀들이나 나 자신이 쓴 영어 작문을 검사해야 할 때가 아니면 나는 보통 친척들이 보낸 가혹한 엽서, 종자 카탈로그, 새[鳥] 관찰자들의 소식지(한두 가지), 어딘가에서 내가 일 년 중 여섯 달은 절에서 보내고 여섯 달은 정신병원에서 보낸다는 거짓 정보를 주워듣고 옛날 독자가 보낸 빠른 쾌유를 빈다는 내용의 신랄한 짧은 편지 외에는 거의 읽지 않는다. 그러나 나는 글을 읽지 않는 사람의 자부심 — 또는 그런 문제와 관련해서라면, 현저하게 책 소비가 줄어든 사람의 자부심도 — 이 일부 책을 많이 읽는 독자들의 자부심보다 훨씬 더 불쾌하다는 것을 잘 알고 있기 때문에, 나의 옛 문학적 자만심 가운데 몇 가지는 유지하려고 노력(진지하게 하는 이야기이다)해왔다.

이중에서 가장 심한 자만심에 속하는 것으로는 내가 보통 어떤 시인이나 산문작가가 자신의 일차적, 이차적, 또는 십차적 경험에 기초해서 글을 쓰는 것인지, 아니면 순수하게 자신이 꾸며낸 것이라고 생각하고 싶어하는 것을 우리에게 떠맡기는지 알아낼 수 있다는 것이 있다. 내가 1948년에 그 젊은 홀아비와 하얀 고양이에 대한 시를 처음 읽었을 때, 아니 앉아서 낭독에 귀를 기울이고 있었을 때, 나는 시모어가 우리 가족이 까맣게 모르고 있는 부인을 적어도 한 명은 땅에 묻은 사람이라는 생각이 들기까지 했다. 물론 실제로 그런 일은 없었다. 적어도(여기에서 처음으로 얼굴을 붉힐 일이 생긴다면, 그것은 독자가 붉히는 것이지 내가 붉히는 것이 아니다)— 적어도 이번 생에서는 없었다. 또한 그 인간에 대한 나의 상당히 광범위하고 약간은 뱀과 같은 지식에 바탕을 두고 말하자면, 그는 젊은 홀아비들과 잘 알고 지낸 적도 없었다. 마지막으로 이 문제에 대해 매우 분별없는 말을 한 마디 보태자면, 시모어 자신은 젊은 미국 남성으로서 홀아비와는 가장 거리가 멀었던 사람이다. 그것이 괴로운 것이든, 즐거운 것이든 간에 묘한 순간이 되었을 때, 기혼 남자 — 거의 전적으로 논증을 위해서이기는 하지만 그냥 상상만으로 시모어도 포함해서 — 라면 누구나 저 여자가 없으면 삶이 어떨까 하는 생각을 해볼 수 있다.

(내가 여기서 하고자 하는 말은 일급의 시인이라면 이런 종류의 허황한 공상을 가지고도 훌륭한 비가[悲歌]를 지어낼 수 있다는 것이다.) 하지만 내가 보기에 이 가능성은 심리학자의 방앗간에 들어갈 곡식에 불과하고, 물론 내 이야기의 초점에서도 한참 벗어난다. 내가 하고자 하는 이야기 — 자꾸 되풀이해 말하지 않으려고 노력하겠지만, 그렇게 될 확률은 적다 — 는 시모어의 시들이 개인적으로 보여지거나, 또는 **실제로도** 그러할수록, 이 서구 세계에서 살았던 그의 실제 일상을 알려주는 세부적 내용은 더욱더 감춰지게 된다는 것이다.

사실 내 동생 웨이커는 시모어가 그의 가장 뛰어난 여러 시들을 베나레스*의 교외, 봉건 시대의 일본, 대도시 아틀란티스를 배경으로 했던 자신의 전생 중, 특별히 기억할 만한 삶 굽이굽이에서 끌어온 것 같다고 주장한다(웨이커의 대수도원장이 그가 이런 말을 했다는 낌새를 절대 채지 못하기를 바라자). 물론 여기에서 독자가 두 손 들거나, 아니면 우리 모두를 씻어내버릴 — 이쪽 가능성이 더 높겠지만 — 기회를 주기 위해 잠시 멈추어야겠다. 그럼에도 우리 가족 중 살아 있는 아이들이라면, 한두 명이 약간의 유보를 둘지는 모르겠지만, 모두 이 점에 대한 웨이커의 의견에 수

---

* 인도 동부의 옛 힌두교 성도(聖都).

다스럽게 찬성할 것이다. 예를 들어 시모어는 자살한 오후에 자기 호텔 방의 책상 압지에 정확한 고전 양식의 하이쿠를 썼다. 그것을 축어적으로 번역하고 싶지는 않지만 — 시모어는 그것을 일본어로 썼다 — 그 시에서 그는 비행기를 탄 어린 소녀가 자기 인형의 고개를 돌려 시인을 바라보게 한다고 간략하게 썼다. 시가 씌어지기 일 주일가량 전에 시모어는 실제로 비행기를 탔는데, 반드시 그러했다고 믿을 수 있는 것은 아니지만 여동생 부 부는 그 비행기에 어린 소녀가 탔었을 수도 있다고 주장했다. 나 자신은 그렇게 생각하지 않는다. 꼭 확고히 부정하려는 것은 아니지만, 나는 그렇지 않았을 것이라고 생각한다. 만일 그랬다 해도 — 나는 잠시라도 그렇게 믿지 않지만 — 그 아이가 자기 친구의 눈길을 시모어 쪽으로 돌릴 생각은 하지도 않았을 것이라고 장담한다.

내가 형의 시에 대해 너무 많은 이야기를 늘어놓고 있는가? 내가 수다스러운가? 그렇다. 그래. 나는 형의 시에 대해 너무 많은 이야기를 늘어놓고 있다. 나는 수다를 떨고 있다. 그리고 적잖이 신경도 쓰고 있다. 그러나 내가 이야기를 해나가면서 토끼 같은 증식을 중단하지 않는 이유들이 있다. 나아가서, 이미 눈에 잘 띄게 광고를 했듯이 나는 행복한 작가이지만, 지금도 그렇고 이전에도 즐거운 작가였던 적은 없다고 맹세라도 할 수 있는데, 고맙게도 나 역시 이 직업에서 보통 주어지는 만큼의 즐겁지 않은 생각들을 할당받았기 때문이다.

예를 들어, 지금 막 깨달은 것은 아니지만, 내가 일단 시모어 자신에 대해 알고 있는 것을 이야기하고 나면, 나에게는 그의 시를 다시 언급할 만한 공간이나 필요한 박동수, 또는 광범위하지만 그래도 진정한 의미에서 그것에 대해 언급하고 싶은 의욕이 남아 있을 것 같지 않다. 지금 이 순간, 놀랍게도 내가 나 자신의 손목을 움켜쥐고 수다에 대해 스스로 훈계를 하는 동안, 나는 미국 시인으로서 형의 지위에 대해 마지막으로, 쉰 목소리로, 이의의 여지는 있지만 개괄적으로 공식적 발언을 할 필생의 기회—사실 나의 마지막 기회라고 생각한다—를 놓치고 있는 것인지도 모른다. 나는 이 기회를 놓칠 수가 없다. 지금 그 이야기를 하겠다.

여섯 명 또는 그것보다 약간 더 많은 수의 독창적인 미국 시인들, 뿐만 아니라 재능이 있는 수많은 특이한 시인들, 그리고 특히 현대에 많이 나타난 수많은 능력 있는 문체 도착(倒錯)자들을 되돌아보고, 다시 귀 기울여 볼 때, 보존 가치가 없지 않다고까지 말할 수 있는 시인은 우리에게 불과 서넛밖에 안 된다는 확신 비슷한 것을 느끼게 된다. 나는 시모어가 결국 이 소수와 자리를 나란히 할 것이라고 생각한다. 하룻밤 새에 그렇게 되지는 않을 것이다, 페어슈텐틀리히[*]—쳇, 당신은 어떻게 생각하는가? 내 추측으로는, 어쩌면 너무 터무니없이 머리를 굴린 것인지도 모르지만,

처음 몇 번 밀려오는 물결에 속하는 비평가들은 그 시들이 '흥미 있다' 거나 '아주 흥미 있다' 고 말한 다음, 여기에 암묵적인 선언, 또는 노골적이지만 그 표현이 형편없는 선언, 그래서 더욱 작품을 힐뜯게 되는 선언을 할 터인데, 즉 이 시들이 좀 작고 운율도 떨어지는 것으로서, 유럽 진출용 대서양 횡단 연단과 강연대, 물잔, 얼음을 넣은 바닷물 주전자를 자체 내장하고 있는 현대 서구 문단에 이르는 데는 실패했다는 선언을 덧붙일 것이다.

그러나 진정한 예술가는 어떤 일이 있어도 살아남는다는 것을 나는 알고 있다. (행복한 마음으로 추측하거니와, 심지어 찬사조차도 뛰어넘어 살아남는다.) 말을 하다보니 어렸을 때 시모어가 무척 흥분하여 어둠 속에서 쉽게 눈에 띄는 노란 파자마를 입은 모습으로 깊은 잠에서 나를 깨웠던 일이 기억난다. 그의 얼굴은 내 동생 월트가 '유레카** 표정' 이라 부르곤 했던 표정을 짓고 있었는데, 그는 나에게 그리스도가 그 누구도 '바보' 라고 부르지 말라고 한 이유를 마침내 알아낸 듯하다는 이야기를 하려 했다. (시모어는 그 주 내내 그 문제 때문에 고민했는데, 그것은 그 말이 '아버지의 일' 로 분주한 이의 충고라기보다는 에밀리 포스트에게서 나올 법한 충고로 여겨졌기 때문일 것이다.) 시모어는 내가

---

* verständlich. '그건 이해할 수 있다' 는 뜻의 독일어.
** '내가 발견했다' 는 뜻의 그리스어.

그것을 알고 싶어한다고 생각했기 때문에 말을 해주었는데, 그리스도가 그렇게 말한 것은 세상에는 바보가 없기 때문이라는 것이었다. 서툰 사람은 있다. 하지만 바보는 없다. 시모어는 그 일에 나를 깨울 만한 가치가 있다고 생각했는데, 내가 그 점을 인정한다면(사실 나는 아무 조건 없이 그 점을 인정한다), 시 평론가들 역시 충분히 시간만 주어지면 자신들이 바보가 아님을 보여주게 될 것이라는 점도 참이라고 인정을 해야 할 것이다. 솔직히 말해서 그것은 받아들이기 어려운 생각인데, 고맙게도 여기서 다른 이야기로 나아갈 수 있을 것 같다. 나는 마침내 형의 시에 대한 이 강박적이고, 또 안됐지만 가끔은 뾰루지도 돋게 만드는 논문의 진짜 정점에 이르렀다. 나는 처음부터 이렇게 될 줄 알았다. 먼저 독자가 나에게 뭔가 무시무시한 이야기를 해준다면 정말 좋겠다. (아, 거기 있는 당신, 부러운 황금의 침묵을 지키고 있는 당신.)

나는 시모어의 시들이 널리 알려지고 대체로 '일급'의 시로 공식적인 인정을 받게 되면('현대시' 강좌에서 다루어져 대학 서점에 잔뜩 쌓이게 되면) 대학 입학을 허가받은 젊은 남녀가 하나씩 둘씩 공책을 준비하여 나의 약간 삐꺼덕거리는 현관문을 향해 달려올 것이라는 예감을 되풀이해 느꼈는데, 1959년에는 이 생각이 거의 내 머리를 떠나지 않았다. (이런 이야기가 나오게 된 것은 안타까운 일이지만, 이제 와서 나한테 어울리지도 않게 얌전한 척은 물론이고, 순진한 척하기에도 너무 늦었다. 지금 밝혀두지만, 내가 써낸 유명한 하트 모양의 산문 때문에, 나는 책을 펴낸 사이비학자 가운데 페리스 L. 모내헌 이래 가장 사랑받는 사람이라는 영예를 얻었으며, 영문과의 수많은 젊은 사람들이 이미 내가 사는 곳, 몸을 숨기고 있는 곳을 알고 있다. 내 장미 꽃밭에는 그들의 타이어 자국들이 나 있기 때문에 이 점을 얼마든지 증명할 수 있다.)

어떤 종류이든 문학이라는 말[馬]의 입 속을 가능한 한 똑바로 들여다보려는 욕망과 만용 양쪽을 갖춘 학생에는 대체로 세 종류가 있다고, 나는 조금의 망설임도 없이 말할 수 있다. 첫째 종류는 상당히 신용할 만한 종류의 문학을 미친 듯이 사랑하고 존중하는 젊은이들로, 이들은 자기들이 만약 셸리의 가치를 미처 알아보지 못했을 경우, 국내 작가들이긴 해도 존중할 만한 인물을 찾아내는 것으로도 그럭저럭 견딜 수 있는 친구들이다. 나는 이런 젊은 남녀들을 잘 안다, 아니, 안다고 생각한다. 그들은 순진하고, 생생하고, 열광적이며, 대개의 경우 옳은 판단을 한다고 볼 수 없으며, 또 언제나 세정에 밝고 기득권을 지닌 저 너머 세상 문학계의 희망일 것이다. (내가 보아도 스스로 얻을 자격이 있다고 믿어지지 않는 약간의 운 때문에, 나는 지난 십이 년간 학생들을 가르쳐오면서 두세 학기에 한 번씩은 이런 열광적이고, 자만심이 세고, 짜증을 돋우고, 본받을 점이 많고, 종종 매력도 있는 젊은 남녀 중 하나를 만나게 되었다.)

문학적 자료를 쫓아 실제로 초인종을 누르는 둘째 종류의 젊은 이는 약간 오만하게도 학자병을 앓고 있는데, 이 병은 그가 1학년 때부터 접해온 대여섯 명의 현대 영문학 교수들이나 조교들 중 하나로부터 옮은 것이다. 그 자신이 가르치기 시작했을 때, 또는 가르치는 일을 목전에 두고 있을 때에는 그 병이 너무 진전되어, 설사 누군가 그 병을 억제시키려는 만반의 준비를 갖추었다 해도 실제로 그것을 잡을 수 있을지 의심스러운 경우가 드물지 않다. 예를 들어, 바로 작년에 한 젊은이가 내가 쓴 글 때문에 나를 만나보려고 들렀다. 몇 년 전에 쓴, 셔우드 앤더슨*과 많은 관계가 있는 글이었다. 그는 내가 가솔린 동력의 전기톱 — 팔 년이나 계속 사용했음에도 여전히 두려워하고 있는 연장이다 — 으로 겨울에 보통 쓰는 장작 중 일부를 자르고 있을 때 찾아왔다. 봄의 눈 녹는 기간이 절정에 이르렀던 화창하고 아름다운 날이었다. 나는 솔직히 약간 소로**가 된 듯한 느낌이었다(나로서는 진짜 멋진 경험이었는데, 십삼 년간 시골에 살았으면서도 나는 여전히 뉴욕 시의 블록 단위로 전원의 거리를 재는 사람이기 때문이다). 간단히 말해,

---

* 미국의 소설가(1876~1941).

** 헨리 데이비드 소로(1817~1862). 미국의 사상가.

문학적으로 표현한다면, 기대해볼 만한 오후처럼 보였기 때문에 나는 페인트 통을 든 톰 소여처럼 그 젊은이에게 내 전기톱 톱질을 시켜볼 요량으로 잔뜩 희망에 부풀어 있었다. 그 젊은이는 다부지다고까지는 할 수 없어도 건강해 보이기는 했다. 그러나 그의 표정에 속아 나는 내 왼발을 날릴 뻔했으니, 톱이 요란하게 발동하여 웅웅대는 사이사이마다 내가 셔우드 앤더슨의 부드럽고 효과적인 문체에 대해 짧지만 내게는 상당히 즐거운 송덕문을 읊는 일을 다 마쳤을 무렵, 젊은이는 나에게— 생각에 잠긴, 기대를 품게 만드는 잔인한 침묵 뒤에— 미국 고유의 **차이트가이스트***가 있다고 생각하느냐고 물었던 것이다. (가엾은 젊은이. 그가 특별히 자기 몸을 잘 돌본다 해도, 그의 성공적인 캠퍼스 활동은 50년을 넘기지 못할 것이다.) 시모어의 시들이 완전히 포장을 풀고 가격표까지 붙은 뒤에 이 근처를 매우 줄기차게 찾아올 방문객 중 셋째 종류에 대해서는 별도의 한 문단이 필요할 듯하다.

대부분의 젊은이들이 시에 끌리기보다는 시인의 삶 중에서, 여기서는 느슨하게 편의상 섬뜩하다고 규정할 수도 있는 몇 가지 적은, 또는 많은 사실들에 이끌린다고 말하면 터무니없을지도 모른다. 그러나 나는 언젠가 학계에서의 인기를 위해 이 터무니없는

---

* Zeitgeist. '시대정신'이라는 뜻의 독일어.

생각을 제시하는 일도 마다하지 않을 작정이다. 어쨌든 만일 내가 맡고 있는 '출판을 위한 작문' 강좌 두 개의 육십 명의 이상한 (odd) 여학생들(또는 육십 명 남짓한[odd] 여학생들)—그들 대부분은 4학년이고, 영문학 전공이다—에게 「오지만디어스」*에서 한 행, 아무 행이나 한 행만 인용해보라고, 또는 그 시의 대강의 내용을 말해보라고 했을 때 답할 수 있는 학생이 과연 열 명이나 될지 의심스럽다는 것이 나의 확고한 생각이다. 그러나 그들 가운데 약 오십 명은 셸리가 자유연애를 옹호했고, 그의 부인 중한 명은『프랑켄슈타인』을 썼고, 또 한 명은 익사했다는 이야기는 할 수 있을 것이라는 데 아직 피지 않은 나의 튤립이라도 걸겠다.†

---

* 「Ozymandias」. 퍼시 비시 셸리의 14행시.

† 내 주장을 부각시키기 위해 여기서 불필요하게도 내 학생들에게 창피를 준 것일 수도 있겠다. 선생들은 전에도 이런 짓을 많이 했다. 아니면 내가 시를 잘 못 골랐을 수도 있다. 만일 내가 방금 심술궂게 가정한 대로 「오지만디어스」가 내 학생들에게 생생한 감명을 주지 못했다면, 그 책임의 많은 부분은 「오지만디어스」 자체에 있을지도 모르겠다. '분노한 셸리'는 충분히 분노하지 않았던 것인지도 모른다. 어쨌든 확실한 것은 그의 분노가 심장에서 나온 것은 아니었다는 점이다. 나의 여학생들은 로버트 번스(1759~1796, 스코틀랜드의 시인—옮긴이)가 지나치게 술을 마시고 장난을 쳤다는 것은 틀림없이 알고 있으며, 그것에 대해서 아마 즐거워할 테지만, 그들은 그의 쟁기질에 드러난 멋진 쥐(번스의 「쥐에서」에 등장하는 쥐—옮긴이)에 대해서도 잘 알고 있음이 틀림없다. (나는 사막에 서 있는 "두 개의 몸통 없는 거대한 돌다리"가 셸리 자신의 것인지 궁금하다. 과연 그의 삶이 그의 최고작 중 많은 부분보다 더 오래 살아남을 것이라

염두에 두기를 바라거니와, 나는 이런 것 때문에 충격을 받지도, 화를 내지도 않는다. 심지어 내가 지금 불평을 하는 중이라고 생각하지도 않는다. 세상에 바보가 없다면 나도 바보가 아니며, 따라서 나 역시 바보의 것이 아닌 아마추어적인 인식을 지닐 자격이 있다. 즉 우리가 어떤 사람이든, 설사 우리의 가장 최근 생일 케이크에 꽂힌 촛불의 열기가 용광로를 닮았든, 우리 모두가 도달한 지적, 도덕적, 정신적 높이가 아무리 드높든 간에 섬뜩한, 또는 부분적으로 섬뜩한 것(물론 여기에는 온갖 높고 낮은 수준의 뒷공론 모두가 포함된다)에 대한 우리의 취향은 충족시키거나, 효과적으로 제어해야만 하는 우리의 육적 욕구들 가운데 가장 최악의 욕구일 것이라는 인식이다. (그런데 맙소사, 내가 왜 시끄럽게 날뛰고 있는가? 왜 곧바로 시인에게서 실례[實例]를 구하지 못하는가? 시모어의 184편의 시들 가운데 임종을 맞이한 유명한 늙은 금욕주의자에 대한 시 — 처음 맞부딪쳤을 때는 충격을 주었지만, 두번째에는 내가 읽은 어느 시 못지않게 살아 있는 사람들에게 힘을 주는 기쁨의 찬가로 느껴졌던 — 가 한 편 있다. 그는 성

___

고 생각해볼 수 있을까? 만일 그렇다면 그것은 — 글쎄, 나는 더이상 이야기하지 않겠다. 그러나 젊은 시인들이여, 잘 들어라. 만일 우리가 당신의 '발랄하고, 화려한 삶'을 다정하게 기억하는 만큼 당신의 최고의 시들을 기억하게 하고 싶다면, 각 연마다 심장으로부터 나온 멋진 들쥐 한 마리씩을 우리에게 선사하는 게 좋을 것이다.)

가를 읊는 사제와 제자들에게 둘러싸여 있지만, 사실은 누운 채로 뜰에서 세탁부가 이웃의 빨래에 대해 이야기하는 소리에 촉각을 바짝 곤두세우고 있다. 시모어가 분명하게 표현하듯이, 이 노인은 사제들이 목소리를 좀 낮추어주기를 은근히 바라고 있다.)

그러나 지금 나는 하나의 무척 편리한 일반화를 시도하느라 약간 어려움을 겪고 있는 듯한데, 그 이유는 이것이 하나의 생생하고 구체적인 전제를 지탱할 수 있을 만큼 제자리에서 오랫동안 온순하게 버텨줄 수 있어야 하기 때문이다. 나는 이런 것을 두고 분별력을 발휘하는 걸 즐기지는 않지만, 그래도 지금은 그래야만 할 것 같다. 전 세계에 걸쳐 연령, 문화, 천부적 자질이 서로 다른 수많은 사람들이 예술가와 시인들, 위대하거나 훌륭한 예술을 생산했을 뿐 아니라, 한 개인으로서 어떤 '그릇된 점'이 야하게 두드러지는 이런 예술가와 시인들에게 어떤 특별한 충동, 심지어어떤 경우에는 열광적인 반응을 보인다는 것은 논란의 여지가 없는 사실인 것 같다. 그 그릇된 점이란 예를 들어 성격이나 시민 정신이라는 면에서 현저하게 드러날 만한 결함, 해석 가능한 로맨틱한 병이나 중독 — 극단적인 자기 중심성, 간통, 귀머거리, 장님, 심한 갈증, 치명적인 심한 기침, 매춘부에게 약한 것, 대규모의 간음이나 근친상간에 대한 애착, 아편이나 남색과 관련된 공인된 또는 공인되지 않은 약점 등등 — 등인데, 이 외로운 놈들에게 신의 자비가 있기를. 자살이 창조적인 사람들을 몰아붙인 약점들의 목록 꼭대기에 자리를 잡고 있지는 않다 해도, 자살한 시인이나 예술가는, 거의 전적으로 감상적인 이유에서인 경우가 많겠지만, 마치 (내가 실제로 원하는 정도보다 훨씬 더 끔찍하게 표현하자면) 한배에서 나온 짐승 새끼들 가운데 귀가 가장 보드라운 놈이나 되는 것처럼 늘 탐욕스러운 관심의 대상이 되어왔다는 점은 인정하지 않을 수 없다. 어쨌든 마지막으로 말하거니와, 나는 이런 생각 때문에 여러 번 잠을 이루지 못했으며, 또 앞으로도 그럴지 모른다.

(방금 쓴 것을 쓰고도 어떻게 나는 여전히 행복할 수 있을까? 그러나 행복하다. 뼛속까지 명랑하지도 않고, 즐겁지도 않지만, 나의 영감은 타이어 펑크에 방비가 되어 있는 듯하다. 내 평생 알았던 유일한 타인을 회상하는 순간에.)

당신은 내가 바로 이 지면에 대해 어떤 커다란 계획, 손을 비비고 싶을 만큼 기쁜 그 어떤 계획을 세워두었는지 상상할 수 없을 것이다. 어쩌면 그 계획은 나의 쓰레기통 바닥에서나 예쁘게 보이도록 고안되었던 것인지도 모르겠다. 나는 바로 이쯤에서 한밤중에 쓴 마지막 두 문단을 햇빛 찬란한 재담 두 개, 나의 동료 이야기꾼들의 질투심이나 구역질을 자극하여 그들의 얼굴에서 핏기가 가시게 만들기 일쑤인—나는 그렇게 상상한다—무릎을 치게 만드는 재담 한 쌍으로 완화시킬 의도였다. 나는 이 자리에서 독자에게, 설사 젊은 사람들이 시모어의 삶이나 죽음에 관한 문제로 나를 만나러 들른다고 해도, 안타깝게도 나 자신의 묘한 개인적 고뇌 때문에 그런 접견이 절대 불가능할 것이라고 말할 작정이었다. 그리고 그냥 지나가는 말로 — 바라건대는, 언젠가 이 이야기가 끝도 없는 길이로 전개될 것이기 때문에 — 시모어와 내가 어렸을 때 함께 칠 년 동안 방송국 라디오 퀴즈 프로그램에서 질문에 답했으며, 우리가 공식적으로 방송을 중단한 이후 나에게 겨우 시간이나 물어보는 사람들에 대하여 벳시 트로트우드*가 당나귀들에 대해 느낀 것과 거의 똑같이 느꼈다는 이야기를 할 작정이었다. 그런 다음에 대학 선생으로 약 십이 년을 보내고 나서 1959년에 이른 지금, 내 대학 동료들이 아부하듯이 글래스 집안병 — 비전문적인 언어로 이야기하자면, 이것은 허리와 하복부에 일어나는 병적 발작으로, 수업이 없을 때 강사가 이 병에 걸리면 마흔 살 이하의 사람이 다가오는 것만 봐도 발작 때문에 허리를 반으로 접고 서둘러 길을 건너거나, 커다란 가구 밑으로 기어들어가게 된다 — 이라고 여겨주는 것에 자주 걸리게 되었다는 사실을 털어놓을 의도였다. 그러나 이 두 가지 재담 가운데 어느 것도

* 찰스 디킨스의 『데이비드 카퍼필드』에 나오는 인물. 남자와 당나귀를 무척 싫어했다.

여기서는 소용이 없을 듯하다. 양쪽에 각각 어느 정도 왜곡된 진실이 담겨 있지만, 충분하다고는 할 수 없다. 내가 이 특정 사망자에 대해 이야기하고, 질문을 받고, 심문을 받기를 갈망한다는 사실, 이 무시무시하면서도 에누리가 불가능한 사실이 문단들 사이에서 막 나에게 다가왔기 때문이다. 다른 많은 동기들 — 덜 저열한 동기들이기를 신께 바라지만 — 말고도, 나는 생존자의 일반적인 자만, 즉 살아 있는 사람들 가운데 내가 죽은 사람을 가장 깊이 알았던 유일한 사람이라는 자만에서 벗어나지 못하고 있다는 생각이 막 떠오른 것이다. 오, 그들을 오게 하라 — 풋내기와 열광하는 자, 학문하는 자, 호기심 있는 자, 꺽다리와 난쟁이와 모든 것을 아는 자! 버스 하나 가득 오게 하라, 낙하산을 타고 오게 하라, 라이카 카메라를 들고 오게 하라. 마음속에 호의적인 환영 연설이 부글거린다. 한 손은 이미 세제 상자로 가 있고, 또 한 손은 더러운 찻잔 세트로 가 있다. 충혈된 눈은 끊임없이 청소할 것을 찾는다. 이제 모두를 환영하는 낡고 붉은 양탄자가 깔렸다.

*

이제 아주 미묘한 문제를 이야기해야겠다. 물론 약간 상스러울

지도 모르지만, 어쨌든 미묘한, 매우 미묘한 문제이다.

이 문제가 나중에 바람직한 만큼, 또는 대규모로 자세하게 등장하지 않을지도 모르기 때문에, 독자가 지금 당장 우리 가족의 모든 자식이 놀라울 정도로 길고 잡다한 두 가지 계열의 전문 연예인들의 후손이었다는 점, 또 지금도 그들의 후손이라는 사실에 변함이 없다는 점을 알아두고, 또 가능하면 끝까지 기억해두어야 한다는 것이 나의 생각이다. 대체로, 유전학적으로 말하자면, 아니 투덜거리자면, 우리는 노래를 하고, 춤을 추고, (이것을 의심할 수 있을까?) '웃기는 농담'을 한다. 하지만 우리 중에는 서커스 공연을 하는, 다시 말하자면 서커스 주변에서 공연을 하는 다양하고 잡다한 사람들이 있다는 점을 염두에 두는 것 — 시모어가 어렸을 때부터 염두에 두었던 것처럼 — 이 특히 중요하다고 생각한다. 분명히 흥미있을 만한 예를 하나 들자면, 나의(그리고 시모어의) 증조부들 중 한 사람은 조조라는 이름의 매우 유명한 폴란드 계 유대인 카니발 어릿광대였는데, 그는 엄청나게 높은 곳에서 작은 수조로 뛰어내리는 취미가 있었다 — 당연히 추측할 수 있는 일이지만, 그의 최후까지 이 취미는 사라지지 않았다. 시모어와 나의 증조부들 중 한 분은 맥마헌이라는 이름의 아일랜드인이었는데(어머니가 그를 한 번도 "멋진" 남자라고 부르고 싶은 유혹을 느끼지 않았다는 것은 어머니에게 영원한 명예가 될 것이다), 그는 자영업적인 유형으로, 초원에 빈 위스키병 16개를 늘어놓고는 돈을 내는 사람들이 가까이 다가오면 병들 옆에서 약간 음악적으로 춤을 추었다고 한다. (따라서, 당신은 물론 내 말을 믿겠지만, 우리 가계에는 다른 그 무엇에 앞서 괴짜도 몇 명 있는 셈이다.)

우리 부모인 레스와 베시 글래스는 보드빌과 음악당에서 매우 관습적이기는 하지만 그래도 (우리가 믿기에) 매우 훌륭한 노래와 춤과 재담 연기를 보여주었는데, 오스트레일리아(아주 어렸을 때 시모어와 나는 그곳에서 빈틈없는 공연 예약 속에 거의 이 년을 보냈다)에서는 광고 연기자 명단의 맨 꼭대기 근처까지 올라갔으며, 나중에 이곳 미국에서도 옛 팬태지스 앤드 오르페움 흥행단에서 일시적인 명성 이상의 것을 획득했다. 우리 부모가 너무 빨리 보드빌계에서 은퇴했다고 말하는 사람들이 적지 않다. 하지만 베시에겐 나름대로 생각이 있었다. 그녀는 늘 벽에 나타난 글자*를 읽는 데 약간의 재주가 있었을 뿐 아니라—1925년경에 이미 하루 두 번 공연하는 보드빌의 시대는 거의 끝이 났으며, 베시는 점점 늘어나던 크고 새로운 영화 겸 보드빌 극장에서 하루 네 번의 쇼를 하는 것에는 어머니로서, 그리고 댄서로서 반대한다는

---

* 성경의 다니엘서에 나오는 것으로 앞날의 재앙을 예측한다는 의미.

아주 강력한 신념을 가지고 있었다 — 이보다 더 중요한 이유로는 그녀가 더블린에서 어린 시절을 보낼 때 쌍둥이 자매가 무대 뒤에서 급성 영양실조로 죽고 난 이후로, 어떤 형태이든 '안정된 생활'에 사활을 좌우하는 매력을 느꼈다는 것이다.

어쨌든, 1925년 봄, 맨해튼의 낡은 호텔 앨러맥의 세 개 반짜리 볼품없는 방에서 다섯 아이가 독일 홍역으로 앓아누운 상태에서 브루클린의 앨비 공연을 그냥저냥 끝낸 뒤 다시 임신을 했다는 생각이 들자(잘못 안 것이었다. 우리 가족의 귀염둥이인 주이와 프래니는 각각 1930년, 1935년에야 태어났다), 베시는 느닷없이 매우 "영향력 있는" 팬에게 호소를 했고, 그 결과 아버지는 상업 라디오의 말단 보좌역이라고 부르곤 하던 — 오랫동안 집 주변에서 아무도 이 말을 반박하지 않았다 — 일자리를 얻게 되었으며, 그것으로 갤러거와 글래스의 장기 공연 여행은 공식적으로 끝이 났다.

그러나 여기서 나의 주된 임무는 각광과 고리 세 개로 이루어진 서커스의 이런 묘한 유산이 우리 가족 일곱 아이 모두의 생활에서는 거의 어디에나 존재하는 것이었으며, 매우 의미심장한 현실이었음을 알려줄 수 있는 가장 확고한 방법을 찾는 것이다. 밑의 둘은 이미 말했듯이 사실상 전문 배우이다. 하지만 무슨 확실한 구분선이 있는 것은 아니다. 위의 여동생은 겉으로 나타난 모습만 보면 교외에 완전히 정착한 사람으로서, 세 자녀의 어머니이고, 두

대의 자동차가 들어가는 커다란 차고의 공동소유자이지만, 최고
로 기쁨에 넘치는 순간들을 맞이하면, 거의 문자 그대로 목숨을
걸고 춤을 춘다. 나는 그애가 닷새 된 조카를 품에 안고 갑자기 상
당한 수준의 소프트슈 춤*(팻과 메리언 루니에 기초를 둔 네드
웨이번 풍이라고나 할까)을 추는 것을 보고 경악한 적이 있다. 전
후에 일본에서 사고로 죽은 남동생 월트(그애에 대해서는 이번
에 글을 쓰기 위해 자리에 앉아 있는 동안, 설사 내가 이 일을 성
공적으로 끝낸다 해도, 가능한 한 이야기를 하지 않을 계획이다)
역시 내 여동생 부 부보다 자발적인 면에서는 못할지 몰라도 전
문적인 의미에서는 훨씬 더 앞서 나간 댄서였다. 그의 쌍둥이 ─
우리의 형제 웨이커, 우리의 수도사, 울 안에 갇힌 우리의 카르투
지오 수사 ─는 어렸을 때 은밀히 W. C. 필즈**를 성인으로 추앙
하여, 영감을 받은 듯한 모습, 시끄럽게 떠들기는 하였지만 그래
도 왠지 거룩해 보이는 모습으로 다른 많은 좋은 물건들을 놔두
고 하필이면 시가 상자를 가지고 시간 단위로 저글링을 연습하
여, 마침내 눈부실 정도로 능숙한 솜씨를 갖추게 되었다. (우리
가족 내의 소문에 따르면 그애가 원래 수도원에 은둔한 것 ─즉

---

* 가죽으로 만든 부드러운 신을 신고 추는, 아일랜드 민속춤에서 발전된 춤으
로 릴, 라이트 지그 등을 말한다.
** 미국의 희극배우(1880~1946).

아스토리아*의 세속 사제로서의 의무를 면제받은 것— 은 성체를 두세 걸음 떨어진 곳에서 왼쪽 어깨 너머로 멋지게 호를 그리며 교구민의 입에 던져넣는 솜씨를 발휘하고 싶은 강렬한 유혹으로부터 자유로워지기 위해서라고 한다.) 나 자신에 대해 말하자면— 시모어에 대해서는 맨 마지막에 이야기하고 싶다— 나 역시 약간 춤을 추는 편이라는 것에 대해서는 말할 필요도 없다고 확신한다. 물론 누가 청해야 추는 것이지만. 그것과는 별도로 나는 종종 증조부 조조가 약간 야릇한 표정으로 나를 지켜보고 있는 느낌을 받곤 한다는 이야기도 해두고 싶다. 조조가 신비하게 보살펴주는 덕분에 숲속을 거닐 때나 교실에 들어갈 때, 눈에 보이지 않는 헐렁한 어릿광대 바지에 걸려 넘어지지 않는 것이고, 타자기 앞에 앉을 때도 퍼티**로 만든 내 어릿광대 코가 이따금 동쪽을 향하는 것인지도 모른다는 느낌이 든다.

마지막으로 우리의 시모어 자신도 나머지 누구 못지않게 자신의 "배경"으로부터 영향을 받으며 살기도 하고 죽기도 했다. 그의 시들이 더없이 개인적이고, 그 이상 그를 완전하게 드러낼 수 없다고 믿지만, 그럼에도 '절대적 기쁨의 뮤즈'가 그의 등에 앉아 있을 때조차도 그는 진짜로 자전적인 낟알은 단 하나도 흘리지 않

---

* 미국 오리건 주 북서부의 도시.
** 칼슘 분말, 돌가루, 래커 등을 섞어 만든 접합제의 일종.

은 채 그 시 하나하나를 완성했다는 점은 이미 이야기했다. 그 배경이라는 것은 모든 사람의 취향에 맞지 않을지도 모르지만, 일종의 매우 지적인 보드빌이라고 생각한다. 즉 전통적인 1막 공연인데, 여기서는 한 남자가 보통 쓰이는 장식용 지팡이, 크롬 탁자, 물이 가득 찬 샴페인 잔 대신 단어, 감정, 턱에 갖다댄 황금 코넷 사이에서 균형을 잡는다. 그러나 나는 이보다 훨씬 더 솔직하고 중요한 것을 말해줄 수 있다. 나는 이 기회를 기다려왔다.

1922년 브리스베인에서 시모어와 내가 각각 다섯 살, 세 살일 때, 레스와 베시는 두 주 동안 조 잭슨과 같은 포스터에 이름을 올리고 공연을 한 적이 있다. 백금보다 더 멋지게 빛나던 니켈 도금의 곡예용 자전거를 타고 극장의 맨 뒷줄까지 가던 가공할 조 잭슨 말이다. 오랜 세월이 흐른 뒤, 제2차 세계대전이 발발하고 나서 오래지 않아 시모어와 내가 막 뉴욕의 아파트를 얻어 따로 살고 있을 때, 아버지 — 이제부터 레스라고 부르겠다 — 가 피노클게임*을 하고 나서 저녁에 집으로 들어가다가 우리에게 들렀다. 오후 내내 카드가 영 안 풀린 것이 분명해 보였다. 어쨌든 레스는 외투를 벗지 않겠다고 미리부터 굳게 작심을 한 채 우리 아파트로 들어왔다. 그는 자리에 앉았다. 그는 아파트 안의 가구를 보며 얼

---

* 카드 게임의 일종.

굴을 찌푸렸다. 내 손가락의 담배 타르 자국을 확인하려고 손을 뒤집어보더니, 시모어에게 하루에 담배를 얼마나 피우냐고 물었다. 그는 자기 하이볼* 안에 파리가 들어 있다고 생각했다. 마침내 대화 — 적어도 내 관점에서는 대화였다 — 가 최악의 상황으로 치닫게 되었을 때, 레스는 갑자기 일어서더니 새로 벽에 건 자신과 베시의 사진을 보러 다가갔다. 그는 그것을 족히 일 분 동안, 아니 그 이상 노려보더니, 집안 누구도 새삼스럽다고 여기지 않을 무뚝뚝한 태도로 휙 돌아서면서 시모어에게 조 잭슨이 그를, 시모어를 자전거 손잡이에 태우고 무대 전체를 빙글빙글 돌던 때를 기억하느냐고 물었다. 시모어는 파란 셔츠와 회색 슬랙스 차림에 뒤축의 가죽이 망가진 모카신을 신고 방 건너편의 낡은 코르덴 팔걸이의자에 앉아 있다가 — 얼굴 한쪽 면에 면도하다 벤 자국이 눈에 띄었다 — 엄숙한 표정으로 즉시, 레스의 질문이 나오면 늘 대응하는 특별한 방법으로, 즉 마치 그 질문들이야말로 평생 그가 가장 받고 싶어하던 질문들인 것처럼 대답했다. 시모어는 자기가 조 잭슨의 아름다운 자전거에서 내려온 적이 있었는지 모르겠다고 말했다. 이 대답은 아버지에게 개인적으로 엄청난 감정적 가치를 지니고 있었을 뿐 아니라, 아주 여러 가지 면에서 진실, 진

---

* 위스키에 소다수를 섞은 음료.

194

실, 진실이었다.

*

　위의 마지막 문단과 지금 쓰고 있는 글 사이에 두 달 반 남짓한 시간이 흘렀다. '경과했다.' 이 작은 사실을 공지해야 한다는 데 얼굴이 찌푸려진다. 다시 읽어보니, 내가 이제부터는 일을 할 때 늘 의자를 이용하며, '작문 시간'에는 블랙커피를 거의 서른 잔 마시고, 여가 시간에 내 가구를 모두 내 손으로 직접 만든다는 등 의 이야기를 할 듯한 느낌이 들기 때문이다. 간단히 말해서, 일요일 독서란의 인터뷰를 하러 온 관리 같은 상대에게 내키지 않으면서도 자신의 작업 습관, 취미, 또 기사화하기 좋은 인간적 약점들을 이야기하는 문인의 말투라는 것이다. 나는 여기서 그렇게 친밀한 이야기를 할 생각이 없다. (사실 나는 지금 나 자신에 대해 특별히 꼼꼼하게 주의를 하는 중이다. 이 작문이 속옷과 같은 비공식성을 띠게 될 위험이 지금보다 더 절박했던 적은 없는 듯하다.) 내가 두 문단 사이에 큰 간격이 있었음을 알린 것은 독자에게 내가 급성간염에 걸렸다가 아홉 주 만에 병상에서 막 일어났다는 사실을 이야기하기 위해서였다. (당신도 내가 속옷에 대해 말한 뜻을 알 것이다. 방금 내가 이야기한 노골적인 말은 공교롭게도 민스키* 해학극에서 바로, 거의 손상되지 않은 채 그대로 나온 대사이다. 조역 코미디언: "급성간염으로 아홉 주 동안 침대에 누워 있었지." 주역 코미디언 : "이 운 좋은 놈아, 어느 쪽 말이야? 헤파티티스네 여자애들은 둘 다 귀엽잖아**." 이것이 내 앞으로 약속된 건강증명서라면, 차라리 '병자들의 골짜기'로 되돌아가는 빠른 길을 찾겠다.)

이제 내가 일어나 돌아다닌 지 거의 일 주일이 지났고, 뺨과 턱에도 장밋빛이 완전히 돌아왔다고 고백한다면—반드시 고백해야 할 것 같은데—독자는 혹시 나의 고백을 잘못 해석하지 않을까? 주로 두 가지 방식으로? 첫째, 이 고백이 독자가 내 병실을 동백나무로 가득 채우지 않았다는 것을 가볍게 질책하는 걸로 들리지 않을까? (내가 초 단위로 '기분이 언짢아지는 중'이라는 것을 알면 모두가 안심할 것이라고 추측해도 괜찮겠지.) 둘째, 그는, 독자는, 이 '병 보고'에 기초하여 나의 개인적 행복—이 작문의 서두에서 조심스럽게 선전해놓은—이 혹시나 결코 행복이 아니었고 단지 간장병 증상이었다고 생각하게 되지 않을까? 이 둘째

---

* 20세기 초 뉴욕에서 코미디와 코러스 라인 댄스 등으로 유명했던 흥행단.
** '급성간염(acute hepatitis)'을 '귀여운 헤파티티스(a cute hepatitis)'로 바꾼 말장난.

가능성 때문에 나는 심각하게 걱정하고 있다. 내가 이 '서문' 작업 때문에 진짜로 행복했던 것은 분명하다. 내 나름의 무기력한 방식이기는 하지만, 나는 간염(hepatitis)에 걸린 상태에서도 내 내 기적적으로 행복했다(happy). (사실 이런 두운법[頭韻法]을 썼다는 것만으로도 나는 끝장이 났어야 했다.) 나는 지금 이 순간 환희에 찰 정도로 행복하며, 이렇게 말할 수 있어 행복하다. 이것은 결코(안됐지만 이제야 나의 오래된 가엾은 간을 위하여 이런 진열장을 짜두었던 진짜 이유에 이르렀다), 되풀이하거니와, 결코 내가 병 때문에 하나의 끔찍한 결함을 안게 되었음을 부정하는 것이 아니다. 나는 극적인 들여쓰기 스타일을 정말로 싫어하지만, 이 문제에 대해서는 아무래도 새로운 문단이 필요할 것 같다.

바로 지난주, 다시 이 '서문' 작업으로 돌아올 만큼 원기를 회복하고 낙관적인 태도도 생겼던 첫날 밤, 나는 영감을 잃지는 않았지만, 시모어에 대해 계속 쓸 수단을 잃었다는 것을 깨달았다. 내가 떠나 있는 동안 그가 너무 커버린 것이다. 믿어지지 않는 일이었다. 아프기 전만 해도 다룰 수 있는 정도의 거인이었는데, 이제 아홉 주라는 짧은 기간에 내 삶에서 가장 친숙한 인간, 보통의 타자 용지—어쨌든 내가 가진 모든 타자 용지—에 들어가기에는 늘 너무, 너무 컸던 그런 인간으로 갑자기 바뀌어버린 것이다. 단적으로 말해서, 나는 공황에 빠졌다. 그후 연속 닷새 밤 동안 공황에

빠진 것이다. 하지만 이 사실을 필요 이상으로 어둡게 채색해서
는 안 된다고 생각한다. 공교롭게도 그런 일도 뒤쪽은 매우 놀라
운 은색으로 빛나고 있기 때문이다*. 중단 없이, 내가 오늘 밤 무
슨 일을 했기에 내일 밤에는 어쩌면 평소 그 어느 때보다 더 으스
대면서, 더 건방지고, 더 괘씸해 보이는 모습을 한 채 일로 돌아갈
수 있을 거라 느끼게 되었는지 말해주겠다. 약 두 시간 전, 나는
예전에 받은 개인적인 편지—좀더 정확히 말하자면, 아주 긴 메
모—를 읽었는데, 그것은 1940년의 어느 날 아침내 아침식사 접
시 위에 남겨졌던 것이다. 정확히 말하자면 반으로 쪼갠 자몽 밑
에 놓여 있었다. 일이 분만 더 있다가 나는 그 메모를 여기에 문자
그대로 옮겨놓는 말로 표현할 수 없는("기쁨"은 내가 원하지 않는
단어이다)—말로 표현할 수 없는 '공백'을 누릴 생각이다. (오
행복한 간염이여! 나는 병—또는 이런 면에서는 슬픔 또는 재난
역시—이 결국은 꽃처럼, 또는 좋은 메모처럼 펼쳐질 것임을 언
제나 알고 있었다. 우리는 그냥 보고만 있으면 된다. 시모어는 열
한 살 때 방송에서 그가 성경에서 가장 사랑하는 것은 보라!라는
단어라고 말한 적이 있다.) 하지만 주요 항목으로 향하기 전에 머
리에서 발끝까지 몇 가지 부수적인 문제에 주의를 기울일 필요가

---

* '괴로운 일의 이면에는 즐거움도 있다'는 영어식 표현.

있다. 이런 기회는 두 번 다시 오지 않을지도 모른다.

중대한 것을 빠뜨렸는데, 가능할 때는 언제나, 또 그렇지 않을 때도 자주, 습관적으로, 충동적으로, 시모어에게 나의 새 단편을 시험해보았다는 이야기를 하지 않은 듯하다. 즉 시모어에게 단편을 큰 소리로 읽어주었다는 것이다. 나는 **몰토 아지다토**[*] 로 낭독을 하는데, 마지막에는 모든 사람을 위하여 필요한 '휴지(休止)' 가 있음을 분명히 밝혀두었다. 이것은 나의 목소리가 멈춘 뒤에 시모어가 늘 논평을 삼가려 했다는 뜻이다. 대신 그는 보통 오 분 내지 십 분 동안 천장을 바라보다가—그는 '낭독' 때는 늘 팔다리를 쭉 뻗고 바닥에 누워 있었다—이윽고 일어나서는 (가끔) 감각이 사라진 발로 가볍게 바닥을 구르고는 방을 나갔다. 나중에—보통은 몇 시간 뒤였지만, 한두 번은 며칠 뒤이기도 했다—종이나 셔츠 상자 조각에 몇 마디 적어서 내 침대나 식탁의 내 자리에 놓았으며, (아주 드문 경우이기는 했지만) 정식 우편을 통해 나에게 보내기도 했다. 여기 그의 짤막한 비평 몇 가지를 소개하겠다. (솔직히 이것은 준비운동이다. 어쩌면 그렇지 않다고 말해야 하는지도 모르지만, 그렇게 부인해야 할 이유를 모르겠다.)

---

[*] '매우 격하게' 라는 뜻의 음악 용어.

잔혹하지만 옳아. 정직한 '메두사의 머리.'

나도 모르겠어. 여자는 멋지지만, 화가에게는 네 친구, 이탈리아에서 안나 카레니나의 초상화를 그린 사람이 달라붙어 있는 듯한 느낌이야. 멋지게 달라붙어 있어, 최고야. 하지만 너에게도 너 나름의 성미 급한 화가들이 있잖아.

그것은 좀 고쳐야 할 것 같아, 버디. 의사는 아주 좋아. 하지만 그는 너무 늦게 네 마음에 든 것 같아. 의사는 전반부 전체에 걸쳐 추운 바깥에서 네가 좋아해주기를 기다리고 있어. 하지만 그는 중요한 등장인물이야. 너는 그와 간호사의 멋진 대화를 전환점으로 보고 있지. 이것은 종교적인 이야기였어야 하는데 청교도적인 것이 되었어. 네가 신의 저주를 받으라는 그의 욕설을 모두 검열했다는 것이 느껴져. 이것이 나한테는 좀 어긋난 것으로 느껴져. 그나 레스나 다른 누가 신의 이름을 걸고 모든 것을 저주할 때 그것은 기도의 낮은 형식에 불과한 것 아니겠어? 나는 신은 어떤 것도 신성모독이라고 생각하지 않는다고 봐. 그것은 사제단이 발명해낸 깐깐한 용어일 뿐이야.

이번 것에 대해서는 정말 미안해. 제대로 듣지를 못했거든.

정말 미안해. 첫 문장을 듣는 순간 나는 정신을 딴 데 팔게 되었어. "그날 아침 일어났을 때 헨쇼는 머리가 쪼개지듯 아팠다." 나는 네가 이제 소설에서 부정직한 헨쇼 같은 인간들을 절대 다루지 않을 것이라고 굳게 믿고 있어. 헨쇼 같은 그런 인간들은 없거든. 그것을 다시 읽어줄래?

네 재치와 화해하기를 바라. 그것은 사라지지 않을 거야, 버디. 너 자신의 조언에 따라 그것을 내버리는 것은, B교수가 하라고 하기 때문에 네 형용사와 부사들을 버리는 것만큼 나쁘고 부자연스러운 일이 될 거야. B교수가 그것에 대해 뭘 알겠어? 사실 네가 너 자신의 재치에 대해 뭘 알겠어?

여기 앉아서 너에게 보내는 메모를 갈기갈기 찢고 있었어. 나는 계속 "이번 것은 구조가 멋지게 잡혀 있어" "트럭 뒤의 여자는 아주 웃겨" "두 경찰관 사이의 대화가 아주 멋져" 하는 말로 시작을 해보려 했지. 이런 식으로 나는 모호하게 굴고 있어. 나도 이유를 모르겠어. 네가 읽기 시작한 직후부터 약간 예민해지기 시작했어. 꼭 네 대적(大敵)인 밥 B가 아주 좋은 이야기라고 부르는 것을 듣기 시작한 듯한 느낌이었어. 그가 이것을 올바른 방향으로의 한 걸음이라고 부르게 되지 않을까? 그게 걱정이 되지 않니? 트럭 뒤의 여자가 웃기는 것도 네가 생각하는 웃기는 것과는 다르게 느껴져. 오히려 네가 보편적으로 우습다고 생각하는 것에 훨씬 더 가까운 것 같아. 사기를 당한 느낌이야. 화나니? 너는 우리 관계 때문에 내가 제대로 판단을 못한다고 말할 수도 있어. 나도 그것 때문에 걱정을 해. 하지만 나역시 단순한 독자에 불과해. 너는 작가야, 아니면 그저 아주 좋은 이야기를 쓰는 사람일 뿐이야? 너한테서 아주 좋은 이야기를 듣게 될까봐 마음이 쓰여. 나는 너의 전리품을 원하거든.

이번 것을 마음에서 떨칠 수가 없어. 무슨 말을 해야 좋을지 모르겠어. 감상성으로 빠져들 위험이 무엇이었는지 알겠어. 너는 그것을 훌륭하게 통과했어. 어쩌면 너무 훌륭했는지도 모르지. 나는 네가 약간 실수하기를 바라왔던가 하고 생각해보고 있어. 내가 너를 위해 짤막한 이야기를 하나 써도 될까? 옛날에 위대한 음악평론가가 있었어. 볼프강 아마데우스 모차르트의 권위자로 이름을 날렸지. 그의 어린 딸이 제9지구 중학교에 들어갔어. 그애는 그곳에서 합창단에 들어갔지. 음악을 사랑하는 이 위대한 사람은 어느 날 자기 딸이 다른 아이와 함께 어빙 벌린, 해럴드 알렌, 제롬 컨 등과 같은 사람들의 노래를 메들리로 부르며 집에 돌아오는 것을 보고 화가 났어. 왜 그 아이들이 그런 "쓰레기" 대신 슈베르트의 가곡 중 쉬운 것을 부르지 않을까? 그래서 그는 교장한테 가서 한바탕 소란을 부렸지. 교장은 그 유명인사의 주장에 깊은 감명을 받아 음악을 가르치는 나이 든 여선생에게 그대로 하라고 했지. 위대한 음악애호가는 의기 양양해서 교장실을 나왔어. 집에 가는 길에 그는 자신이 교장 실에서 펼쳤던 뛰어난 주장을 되새겨보면서 흥분하기 시작했 지. 가슴이 잔뜩 부풀어 올랐어. 발걸음도 빨라졌지. 그는 짤막 한 곡조를 휘파람으로 불기 시작했어. 그 곡은 이거였어. "케 이-케이-케이-케이티."*

이제 그 '메모' 이야기다. 자부심과 체념하는 마음으로 제시하 는 메모이다. 자부심이라고 말한 것은 — 아니, 이것은 그냥 넘어 가겠다. 체념이라고 말한 것은 내 교수 동료들 가운데 일부도 이 이야기를 듣고 있을지 모르는데 — 이들은 연구실을 오가는 노련 한 장난꾸러기들이다, 모조리 — 그렇다면 이 동봉하는 문건에 조 만간 "길을 잃고 더이상 나아갈 수 없는 작가, 형제, 간염 회복기 환자들을 위한 19년 된 처방"이라는 제목이 붙을 수밖에 없을 것 같기 때문이다. (아, 좋다. 역시 장난꾸러기가 장난꾸러기를 알아

---

* 제1차 세계대전중에 유행했던 대중가요.

보는 법이다. 게다가, 나도 이번 경우에는 묘하게도 어디 한번 붙어보자는 느낌이 든다.)

우선 이것이 나의 '역작'에 대하여 시모어로부터 받은 가장 긴 비판적 논평이었던 것 같다. 사실 시모어가 살아 있는 동안 그가 나에게 한, 말이 아닌 의사 표현 가운데 가장 길었을 것이다. (우리는 전쟁 기간에조차 서로 개인적인 편지를 주고받는 일이 매우 드물었다.) 그 메모는 어머니가 몇 년 전 시카고의 비스마르크 호텔에서 가져온 메모지들 위에 연필로 적혀 있었다. 그것은 내가 그때까지 썼던 글 가운데 가장 야심 찬 작품, 「군(群)」에 대한 반응으로 나온 글이었다. 때는 1940년이었으며, 우리 둘 다 이스트 가 70번지에 있는, 약간 인구 밀도가 높은 부모님의 아파트에 살고 있었다. 나는 스물한 살이었고, 오직 젊고 아직 발표한 작품이 없는 풋내기 작가만이 보여줄 수 있는 중립적인 면을 보여주고 있었는지도 모르겠다. 시모어는 스물세 살이었으며, 뉴욕의 한 대학에서 가르치는 일을 시작한 지 오 년째에 접어들고 있었다. 이제 그 전문을 보여주겠다. (눈이 높은 독자라면 몇 군데서 당황할지도 모른다고 예측된다. 그러나 서두의 인사말을 넘어가면 '최악'은 끝이 난 것으로 보아도 된다. 다른 사람도 아닌 내가 이 인사말에 당황하지 않는다면, 다른 사람들이 당황할 이유는 없다고 생각한다.)

잠자고 있는 늙은 호랑이에게

같은 방에서 작가가 코를 골고 있는데 그 옆에서 그의 원고를 넘겨본 독자가 많을까? 이번 것은 내가 직접 보고 싶었어. 이번에는 네 목소리가 너무 부담스러웠거든. 네 산문은 네 등장인물들이 견딜 수 있는 유일한 극장이 되어가고 있다는 생각이 들어. 너한테 하고 싶은 이야기는 아주 많은데, 어디에서 시작을 해야 좋을지 모르겠구나.

오늘 오후에 영문과 학과장에게 내 생각에는 완전하다고 여겨지는 편지를 썼는데, 꼭 네가 쓴 것 같은 느낌이 드는 그런 편지였지. 그것이 아주 큰 즐거움을 주었기 때문에 너한테 꼭 말해주어야 한다고 생각했어. 아름다운 편지였어. 꼭 지난봄 토요일 오후에 칼과 에이미, 그리고 그애들이 나를 위해 데려온 아주 이상한 여자와 함께 네 녹색의 멋진 놈을 매고 〈마술피리〉를 보러 갔을 때 같은 느낌이었어. 너한테는 그것을 맸다고 이야기를 하지 않았지. (시모어가 여기서 말하고 있는 멋진 놈이란 내가 그전 계절에 샀던 값비싼 네 개의 넥타이 중 하나다. 나는 내 형제들 모두가—특히 누구보다 쉽게 손을 댈 수 있는 시모어가—그것을 넣어둔 서랍 근처에도 가지 못하게 했다. 나는 그것을 셀로판지에 싸두기까지 했는데, 그것은 상당 부분 진지한 행동이었다.) 나는 그것을 맸을 때 전혀 죄책감을 느끼지 않았어. 다만 네가 갑자기 무대로 걸어와 그 어둠 속에서 네 넥타이를 매고 앉아 있는 나를 보게 될지도 모른다는 죽을 것 같은 두려움만 느꼈지. 편지는 약간 달랐어. 입장이 바뀌어 네가 만일 내가 쓴 것 같은 느낌의 편지를 쓰고 있다면 너는 꽤 괴로울 거라는 생각이 들었어. 하지만 나는 그것을 대체로 마음에서 떨쳐버릴 수 있었지. 세상 그자체 말고는 세상에서 매일 나를 슬프게 하는 것이 얼마 남지 않았는데, 부 부나 월트가 너한테 꼭 나처럼 말한다고 하면 네가 반드시 화를 낸다는 것이 그중 하나야. 너는 그것을 해적질에 대한 비난으로, 네 개성에 대한 작은 혹평으로 받아들이는 쪽이지. 우리가 가끔 비슷하게 말을 한다는 것이 그렇게 나쁜가? 우리 사이에 있는 막은 아주 얇아. 어느 게 누구 건지 늘 염두에 두고 사는 것이 그렇게 중요한가? 두 해 전 여름 내가 아주 오랫동안 나가 있을 때, 너하고 Z와 내가 무려 네 번의 환생 동안, 어쩌면 그 이상의 기간 동안 형제였다는 것을 추적할 수 있었어. 거기엔 아름다움이 있지 않아? 우리 각각의 개성은 우리가 극히 밀접한 관련을 맺고 있음을 자백하고, 서로의 농담, 재능, 바보 같은 행동을 빌릴 수밖에 없음을 받아들이는 데서 시작되는 것이 아닐까? 잘 보았겠지만, 여기에 넥타이는 포함시키지 않았어. 나는 버디의 넥타이는 버디의 넥타이라고 생각해. 하지만 허락 없이 빌리는 것은 즐거운 일이야.

내 마음속에 네 소설 외에 넥타이나 다른 것이 있다고 생각하면 넌 끔찍해하겠지. 사실 그렇지 않아. 그저 내 생각들을 찾아 모든 곳을 뒤지고 있을 뿐이야. 이런 사소한 일들이 내 생각을 정리하는 데 도움을 줄지도 모른다고 생각했거든. 이제 날이 밝았고, 나는 네가 잠자리에 든 뒤로 쭉 여기 앉아 있었어. 네 첫 독자가 된다는 것은 큰 행복이야. 네가 너 자신의 의견보다 내 의견을 더 귀중하게 여긴다는 생각만 들지 않는다면 순수한 행복뿐일 텐데. 네 소설에 대한 내 의견에 네가 그렇게 심하게 의존하는 것이 내게는 정말이지 옳다고 여겨지지 않아. 중요한 것은 너라는 거야. 나중에 나를 논리로 꺾을 수는 있겠지만, 어쨌든 나는 내가 큰 잘못을 했기 때문에 상황이 이렇게 되었다고 확신하고 있어. 그렇다고 내가 지금 죄책감에 시달리는 것은 아니지만, 죄는 죄지. 그냥 사라지지는 않아. 무로 돌릴 수는 없어. 심지어 완전히 이해할 수도 없어. 나는 그렇게 확신해. 그것은 개인적이고 오래된 업(業) 속에 너무 깊이 뿌리를 내리고 있어. 내가 이런 느낌에 사로잡힐 때는 죄란 지식의 불완전한 형태라는 사실만이 나를 목매다는 일로부터 구해줄 수 있지. 그러나 완전하지 않다고 해서 그것을 이용할 수 없는 것은 아니지. 어려운 일은 그것이 나를 마비시키기 전에 그것을 실용적으로 이용하는 거야. 따라서 내가 이 소설에 대해 어떻게 생각하는지 가능한 한 빨리 쓰도록 할게. 서두르기만 하면, 나의 죄가 가장 훌륭하고, 가장 진실한 목적을 위해 쓰일 것이라는 강한 느낌이 들어. 정말로 그렇게 생각해. 서두르기만 하면, 어쩌면 너한테 오랫동안 하고 싶었던 이야기를 할 수 있을지도 모르겠어.

너도 이번 소설이 큰 비약으로 가득하다는 것은 잘 알고 있겠지. 도약 말이야. 네가 막 잠자리에 들었을 때 나는 한동안 집 안의 모든 사람을 깨워서, 우리의 놀라운 비약 능력을 가진 형제를 위해 파티를 열어야 한다고 생각했어. 그런데 모든 사람을 깨우지 않은 나는 무엇일까? 나도 알았으면 좋겠어. 기껏해야 걱정이나 하는 사람이겠지. 나는 내 눈으로 측정할 수 있는 큰 비약들에 대해 걱정하고 있어. 네가 대담하게 비약을 해서 내 시야에서 사라져버린다는 꿈을 꾸고 있는 것 같아. 이해해 줘. 나는 지금 아주 빨리 쓰고 있거든. 나는 이 새 소설이 네가 기다려온 것이라고 생각해. 어떤 면에서는 나도 마찬가지지. 너도 내가 지금 밤잠을 못 이루고 있는 것이 자부심 때문이라는 것을 알겠지. 그게 내 제일 큰 걱정인 것 같아. 너를 위해서, 내가 너를 자랑하게 하지 마. 바로 이것이 내가 지금 하려고 하는 이야기 같아. 다시는 자부심 때문에 내가 잠을 안 자는 일이 없었으면 좋겠어. 그냥 내가 까닭 없이 밤을 밝히게 만드는 소설만 줘. 오로지 네 별들이 다 밖에 나와 있다는 이유만으로, 그리고 다른 이유는 없이 내가 다섯시까지 버티게 해줘. 강조를 해서 미안하지만, 이것이 내가 네 소설에 대해서 한 말 중에 내 머리를 위아래로 움직이게 만든 첫번째 말이야. 다른 이야기는 하지 않게 해줘. 작가에게 오늘 밤에는 그의 별들이 밖으로 나오게 해달라고 간청한 뒤에 아무 말이나 하면 그것이 다 문학적인 조언이 될 것 같아. 오늘 밤에 어울리는 "좋은" 문학적 충고란 그저 루이 부이예*와 막심 뒤 캉**이 플로베르에게 보바리 부인을 떠맡긴 방식과 같다고 확신해. 그래, 그 둘은 그렇게 힘을 합해 자신들의 우아한 취향으로 플로베르에게 걸작을 쓰게 했어. 그러나 그들은 그가 가슴이 터지도록 글을 쓸 기회를 죽여버렸지. 플로베르는 유명인사처럼 죽었지만, 사실 그는 그런 사람이 아니었어. 그의 편지들은 도저히 읽을 수가 없어. 그 편지들은 당연

---

* 플로베르의 친구로 『보바리 부인』의 소재가 된 들라마르 부인의 이야기를 플로베르에게 들려주고 소설로 쓰라고 권했다.
** 작가이자 사진가로 부이예와 함께 사실주의적인 소설을 쓰라고 플로베르를 설득하였다.

히 이럴 거다 하는 것보다 훨씬 더 좋거든. 거기 씌어 있는 것은 헛되다, 헛되다, 헛되다라는 거야. 그 편지들을 보면 가슴이 미어져. 사랑하는 버디, 오늘 밤에는 너에게 진부한 것 외에 어떤 것도 말하기가 두려워. 네 가슴을 따라가줘, 이기든 지든. 우리가 등록을 할 때 너는 나에게 무척 화를 냈지. (그전 주에 시모어와 나는 다른 수백만의 미국인들과 함께 가장 가까운 공립학교로 가서 징병 등록을 했다. 나는 시모어가 내 등록란에 적어놓은 뭔가를 보고 웃음을 짓는 것을 보았다. 그는 집에 오는 길 내내 뭐가 그렇게 우스웠는지 나에게 말해주려 하지 않았다. 우리 가족 가운데 누구나 확인해 줄 수 있는 사실이지만, 그는 자신에게 상서롭다고 느낄 때에는 완강히 거절하기도 하는 사람이다.) 내가 무엇을 보고 웃었는지 알아? 너는 네 직업이 작가라고 적었어. 그것은 내가 들어본 말 중 가장 어여쁜 완곡어법 같았어. 언제부터 글쓰기가 네 직업이었지? 그것은 네 종교 외에는 결코 어떤 것도 아니었잖아. 결코. 나는 지금 약간 흥분해 있어. 그것이 정말 너의 종교라면, 네가 죽을 때 어떤 질문을 받게 되는지 알아? 우선 네가 받지 않을 질문부터 이야기해주지. 너는 죽을 때 어떤 멋진, 감동적인 글을 쓰고 있었느냐는 질문은 받지 않을 거야. 그것이 장편이었냐 단편이었냐, 슬픈 이야기였냐 웃기는 이야기였냐, 발표된 것이냐 발표되지 않은 것이냐 하는 질문은 받지 않을 거야. 네가 그것을 쓸 때 상태가 좋았느냐 나빴느냐는 질문은 받지 않을 거야. 네가 그 작품을 완성하는 것과 동시에 네 시간이 끝나는 것을 알고 있었다 해도 역시 그 작품을 쓰고 있었겠느냐는 질문조차 받지 않을 거야—아마 가엾은 쇠렌 K*만이 그런 질문을 받겠지. 너는 딱 두 가지 질문만 받을 게 틀림없어. 네 별들 대부분이 나와 있는가? 네 가슴이 터지도록 글을 쓰느라고 바빴는가? 두 질문 모두 그렇다고 대답하는 것이 얼마나 쉬운지 네가 알았으면 좋겠어. 네가 글을 쓰려고 앉을 때마다 너는 작가이기 오래 전에 독자였다는 사실을 기억했으면 좋겠어. 너는 그저 그 사실을 네 마음에 고정시켜놓은 다음 가만히 앉아서 너 자신에게, 한 사람의 독자로서, 만일 버디 글래스가 그의 가슴으로부터 선택을 할 수 있다면 온 세상에서 가장 읽고 싶은 글로 무엇을 택할지 물어보기만 하면 돼. 그 다음 단계는 무섭기는 하지만 너무 간단해서 이 글을 쓰면서 나 자신도 믿을 수가 없어. 그냥 부끄러운 줄 모르고 앉아서 스스로 그것을 쓰면 돼. 이 말은 강조를 하지도 않을 거야. 강조를 하기에는 너무 중요하거든. 아, 용기를 내어 그렇게 해봐, 버디! 네 가슴을 믿어. 너는 자격이 있는 장인이야. 네 가슴은 절대 너를 배반하지 않을 거야. 잘 자, 나

---

* 키에르케고르를 가리킨다.

는 지금 몹시 흥분한 것 같아. 약간 극적인 기분이기도 하고. 하지만 네가 진정으로 또 진실로 네 가슴을 닮은 뭔가를, 소설, 시, 나무 등 어떤 것이라도 쓰는 것을 볼 수 있다면 세상 무엇이라도 내놓을 수 있을 것 같아. 〈뱅크 딕〉*은 탈리아 극장에서 해. 내일 밤에 모조리 데려가자. 사랑으로, S.

나 버디 글래스가 다시 지면으로 돌아왔다. (물론 버디 글래스는 내 필명이다. 내 진짜 이름은 조지 필딩 안티-클라이맥스 소령이다.) 나 자신도 몹시 흥분했고, 약간 극적이 된 느낌인데, 이 순간 내일 밤 우리의 만남에 대해 독자들에게 문자 그대로 별과 같은 약속을 하고 싶다는 열띤 충동을 느낀다. 하지만 내가 만일 똑똑한 사람이라면, 그냥 이를 닦고 침대로 달려가는 편이 나을 것 같다. 형의 긴 '메모'는 읽기에도 부담이 좀 되겠지만, 내 친구들을 위해 그것을 타자로 치는 일은 완전히 사람 진을 빼는 일이라는 점을 덧붙이지 않을 수 없다. 지금 이 순간 나는 그가 '간염과 심약한 상태에서 얼른 회복돼라'는 선물로 나에게 선사한 멋진 창공(蒼空)을 내 무릎에 두르고 있다.

하지만 독자에게 내가 내일 밤부터 하려는 일을 말하는 것은 너

---

* 1940년에 상영한 영화 제목.

무 성급할까? 십여 년 동안 나는 아주 직접적인 질문에 대하여 간략하고 명쾌하게 대답해주기를 특별히 바라지 않는 누군가로부터 "네 형은 어떻게 생겼니?"라는 질문을 받기를 꿈꾸어왔다. 간단히 말해서, 나의 우수하고 권위 있는 기관(器官)이 말하는 바에 따르면, 이 세상에서 내가 웅크린 자세로 가장 기분좋게 손에 쥐고 있을 수 있는 글, "그 중요한 것, 일체의 것"은 시모어를 자신의 가슴에서 불에 덴 듯 급하게 털어버리지 않을 사람 — 정말 뻔뻔스럽게 말한다면 나 자신 — 이 쓴 그에 대한 완전한 신체적 묘사이다.

이발소에서 흩날리는 그의 머리카락. 지금이 '내일 밤'이고, 나는 여기 앉아 있으며, 말할 필요도 없이 턱시도를 입고 있다. 이발소에서 흩날리는 그의 머리카락. 맙소사, 이것이 나의 첫 줄인가? 이 방은 천천히, 천천히 옥수수 머핀과 사과 파이로 가득 차게 될까? 그럴지도 모른다. 그렇게 믿고 싶지는 않지만, 그럴지도 모른다. 만일 내가 묘사에서 '선택성'을 밀고 나간다면, 나는 시작도 하기 전에 열이 식어 다시 그만두고 말 것이다. 나는 이 남자를 분류할 수가, 사무를 보듯이 처리해버릴 수가 없다. 여기에서 몇 가지 일은 일시적인 감성으로도 처리할 수 있을 것이라고 기대해볼 수는 있지만, 그래도 생전 처음으로 모든 염병할 문장을 검열하지 않도록 하겠다. 아니면 나는 다시 끝장날 테니까. 이발소에서 흩날리는 그의 머리카락은 내 마음에 떠오르는 첫번째로 절박한 것이었다. 우리는 방송을 하러 가는 날은 보통 두 번에 한 번꼴로 수업이 끝나자마자 이발을 하러 갔다. 두 주에 한 번꼴이었을 것이다. 이발소는 108번가와 브로드웨이가 만나는 곳에 있었는데, 중국 식당과 유대인 식품점 사이에 푸릇푸릇하게(그만 해, 당장) 자리 잡고 있었다. 우리는 도시락 먹는 것을 잊었을 때, 아니, 좀더 가능성이 높은 쪽으로 말하자면, 어딘가에서 도시락을 잃어버렸을 때, 가끔 15센트 어치 정도의 자른 살라미와 새로운 딜* 피클을 사서, 이발소 의자에 앉아 먹곤 했다. 적어도 머리카락이 아래로 떨어지기 전에는 그렇게 먹을 수가 있었다. 이발사들 이름은 마리오와 빅터였다. 아마 세월이 이렇게 흘렀으니, 모든 뉴욕 이발사들이 결국 그렇게 되듯이, 그들은 마늘 과용으로 죽었을 것이다. (좋아, 이쯤 해두자. 이런 것은 애초에 싹을 잘라버리도록 하자.) 우리 의자는 붙어 있었고, 마리오가 내 머리카락을 다 깎고 목에 두른 천을 풀어 털려고 할 때, 반드시, 반드시 나에게는 내 머리카락보다 시모어의 머리카락이 더 많이 붙어 있었다. 그전이나 후나 평생 나를 그렇게 짜증나게 한 것은 거의 없다. 그러나 내가 그것에 대해 실제로 불평을 한 것은 딱 한 번뿐이었는데, 그것은 엄청난 실수였다. 나는 약이 오른 티가 나는 목소리로 그의 "염병할

---

* 미나릿과의 식물.

머리카락"이 늘 내 몸으로 다 날아온다는 식의 이야기를 했다. 말을 하자마자 미안한 마음을 느꼈으나, 이미 말은 입 밖으로 나온 뒤였다. 시모어는 아무 말도 하지 않았지만, 곧 그것 때문에 걱정하기 시작했다. 우리가 아무 말 없이 몇 번 길을 건너며 집으로 돌아오는 길에 그 걱정은 점점 커졌다. 그는 이발소에서 자신의 머리카락이 동생에게 흩날리는 것을 막을 방법을 궁리하는 것이 분명했다. 110번가의 우리 집 앞까지 직선 코스, 즉 브로드웨이에서 우리가 사는 리버사이드 모퉁이의 건물에 이르는 긴 블록은 최악이었다. 우리 가족 중 누구도 '훌륭한 소재'가 생겼을 때의 시모어처럼 그렇게 완벽히 걱정에 사로잡힌 채 그곳을 걸어내려가는 못했다.

하룻밤에 이 정도 썼으면 됐다. 나는 완전히 지쳤다.

이것 한 가지만 더. 그의 신체적 묘사에서 내가 원하는(이 고딕체 강조는 모두 내가 원한 것이다) 것은 무엇인가? 나아가서, 나는 그것으로 무엇을 하기를 바라는가? 나는 그것이 잡지에 실리기를 바란다, 그렇다. 나는 그것을 발표하고 싶다. 그러나 이것이 다가 아니다—나는 그것이 늘 발표되기를 원한다. 내가 그것을 잡지에 제출하는 방식이 더 큰 문제다. 사실 무엇보다도 그 방식이 문제다. 난 그 문제를 잘 알고 있다. 내가 안다는 것을 아주 잘 알고 있다. 나는 묘사가 소인(消印)이나 마닐라 봉투 없이 거기에 이르기를 바란다. 만일 그것이 진정한 묘사라면, 그것에게 기차 요금을 줄 수 있을 것이고, 샌드위치를 싸주고 보온병에 따뜻한 것도 좀 넣어줄 수 있겠지만, 그게 전부다. 열차에 탄 다른 승객들은 그것이 약간 들떠 있기라도 한 듯 그것으로부터 약간 떨어져 움직여야만 할 것이다. 오, 멋진 생각이다! 그가 약간 들뜬 채 이곳을 떠나게 하자. 그러나 어떤 식으로 들뜨는 거지? 내 생각에는, 당신이 사랑하는 누군가 힘겨운 테니스 3세트 뒤에, 결국 승리를 거두고 나서 싱긋 웃으며, 싱긋 웃으며 포치로 다가와서 당신에게 자신의 마지막 샷을 보았느냐고 물을 때처럼 들떠서. 그래. 위*.

*

또다른 밤. 기억하라, 이 글은 읽히게 될 것이다. 독자에게 당신이 어디 있는지 말하라. 다정하게 대하라―사람 일은 모르는 것이니까. 물론이다. 나는 온실에 있으며, 방금 포트와인을 가져오라고 벨을 눌렀으니 가족의 오래된 시종이 곧 그것을 가져올 터인데, 그는 시험지를 제외하고는 집 안의 모든 것을 먹어치우는 아

---

* Oui. 프랑스어로 '그렇다'는 뜻.

주 똑똑하고, 통통하고, 윤기가 흐르는 한 마리의 쥐다.

S의 머리카락으로 돌아가겠다. 그것이 이미 지면에 올라 있으니까. 그의 머리카락은 열아홉 살 무렵부터 한 줌씩 빠지기 시작했는데, 그전에는 아주 억세고 검었다. 거의 곱슬머리라고 말할 수 있겠으나, 그렇다고 딱 그쪽은 아니었다. 만일 딱 그쪽이었다면 나도 곱슬머리라는 말을 꼭 사용하고 싶었을 것 같다. 그의 머리카락은 아주 뽑기 쉬워 보였으며, 물론 쉽게 뽑히기도 했다. 우리 가족의 어린아이들의 손은 절로 그쪽으로 움직였다. 심지어 코보다도 머리카락이 먼저였는데, 그 코 역시, 신께서도 아시지만, '두드러졌다.' 그러나 한 번에 하나씩만 하자. 털이 아주 많은 남자, 젊은이, 청년, 가족의 다른 아이들, 꼭 그들뿐이라곤 할 수 없지만 특히 남자애들, 늘 집 안에서 얼쩡거리는 듯 보이던 다수의 사춘기 이전 남자애들은 그의 손목과 손에 매혹되곤 했다. 동생 월트는 열한 살 무렵에 시모어의 손목을 보고 나서 그에게 스웨터를 한번 벗어보라고 하는 것이 습관이었다.

"이봐, 시모어, 스웨터를 벗어봐. 어서, 응. 집 안은 따뜻하잖아."

S는 그를 마주보고 활짝 웃음을 지었고, 빛을 발산했다. 그는 어떤 아이하고도 그런 종류의 야단법석을 좋아했다. 나도 그렇기는 했지만, 이따금이었다. 그는 늘 그랬다. 그는 또 가족의 어린아이들이 그를 향해 던지는 그 모든 분별 없거나 사려 깊지 못한 말

도 잘 소화해내며 성장했고, 튼튼해졌다. 사실 1959년에는 내 막
내 남동생과 여동생이 한 짓에 대해 좀 화가 나는 이야기를 들었
는데, 그때도 그런 행동이 S에게는 얼마나 큰 기쁨을 주었을까 생
각해보기도 했다. 프래니가 네 살 무렵 그의 무릎에 앉아 그를 마
주보고, 아주 감탄하는 표정으로, "시모어, 이가 아주 멋진 노란색
이야!" 하고 말하던 모습이 기억난다. 그는 말 그대로 비틀거리며
나에게 걸어와 프래니가 하는 말을 들었느냐고 나에게 물었다.

　바로 위의 문단에 나온 말 때문에 나는 얼어붙었다. 왜 나는 이
따끔만 아이들의 야단법석을 좋아했을까? 그것이 나를 향했을 때
는 가끔 그 안에 상당한 악의가 있었기 때문이리라. 그렇다고 해
서 내가 그것이 내게로 오는 것을 대개 막았다는 뜻은 아니다. 독
자는 대가족에 대해 무엇을 알고 있을지 궁금하다. 더 중요한 사
항은 독자가 내 입을 통해 그 주제에 대한 이야기를 듣는 일을 얼
마나 더 견딜 수 있을까 하는 것이다. 그래도 이만큼은 말해야겠
다. 만일 당신이 대가족의 나이든 형이라면(특히 시모어와 프래
니의 경우처럼 나이 차이가 대략 열여덟 살 정도 나는 경우), 그리
고 당신이 스스로 원해서, 또는 어쩌다보니 지역의 교사나 스승
역할을 맡게 되었다면, 감독하는 사람이 되지 않는다는 것은 거
의 불가능하다. 그러나 감독자에게도 개별적인 형태, 크기, 색깔
이 있다. 예를 들어 시모어가 쌍둥이 중 한 명이나 주이나 프래니

에게, 또는 심지어 마담 부 부(이애는 나보다 겨우 두 살 아래면서도, 완전한 '숙녀' 행세를 하는 경우가 많았다)에게 집 안에 들어올 때는 비옷을 벗으라고 말하면, 그들 모두 그의 말이 그렇게 하지 않으면 바닥에 자국이 남을 것이고, 그러면 베시가 자루걸레를 꺼내야 한다는 뜻이라고 알았다. 그러나 내가 그들에게 비옷을 벗으라고 말하면, 그들은 내 말이 그렇게 하지 않는 사람은 얼간이라는 뜻임을 알았다. 이것 때문에 그들이 시모어와 나에게 농담을 하거나 놀리는 방식에 큰 차이가 날 수밖에 없었다.

이런 이야기는 수상쩍은 '정직함'과 '알랑거림'의 느낌을 피할 수 없는 고백이라는 비난이 내 귀에도 들려오니, 신음이 나온다. 그러나 난들 어쩔 것인가? 내 목소리에 '정직한 존'*의 말투가 끼어들 때마다 작업 전체를 중단해야 할까? 내가 우리 집안에서 그냥저냥 용납되는 정도를 넘어서는 존재였다는 확신을 가지지 못한다고 해도, 나 자신을 비하하지는 않으리라는 것—이 경우에는 내게 지도자 자질이 부족하다는 것을 강조하지 않으리라는 것—정도는 독자가 알고 있으리라 기대해볼 수 없을까? 당신에게 내 나이가 몇 살인지 다시 들려주는 것이 도움이 될까? 이 글을 쓰고 있는 나는 머리가 희끗해지고 궁둥이가 흐물흐물해지는 마

---

* 고지식한 사람을 가리키는 속어.

흔 살이며, 배가 상당히 나왔고, 바라건대는 그에 반비례하여, 올해에 농구팀에 들어가지 못할 거라는 이유나 사관후보학교에 들어갈 만큼 멋지게 경례를 올려붙이지 못한다는 이유로 은 푸셔*를 바닥에 내동댕이치게 될 가능성도 상당히 적어진 사람이다. 게다가, 고백적으로 씌어진 구절에서는 자존심을 버렸다는 사실에 대한 자부심의 냄새가 약간은 나게 마련인 것 같다. 공개적으로 고백을 하는 사람에게서 언제나 귀를 기울여 들어야 할 대목은 그가 고백을 하지 않는 부분이다. 어떤 사람이 삶의 어떤 시기에 (말하기 괴로운 일이지만 보통 성공을 거둔 시기에), 갑자기 자기가 대학 시절 학기말 고사에서 커닝을 했다는 사실을 고백하는 것을 '자기 힘이 미치는 범위 내에' 있는 일이라고 느낄 수도 있고, 심지어 스물둘에서 스물네 살 사이에 성적으로 무능했다는 사실을 드러내기로 결심할 수도 있겠지만, 그가 이런 용감한 고백들을 한다고 해서 화가 나 애완용 햄스터의 머리를 밟은 일까지도 밝힐 것이라고 생각하면 오산이다. 계속 이런 이야기를 하는 것은 미안하지만, 나의 현재 걱정은 정당한 것 같다. 나는 지금 내가 알았던 사람 가운데 나 자신의 용어로 말하자면 내가 진실로 크다고 생각했던 유일한 사람, 내가 알았던 사람들 가운데 어느 정도의

---

* 나이프나 포크를 쓰지 못하는 어린아이가 이용하는 식사 보조 도구.

크기를 지니고 있으면서도 단 한 번도 지저분하고 짜증나는 작은 허영심들을 하나 가득 감추고 있다는 의심을 주지 않은 유일한 사람에 대해 쓰고 있다. 나는 지면에서 내가 이따금 그보다 인기가 약간 더 높지 않은가 하는 데까지 생각을 해야만 한다는 것이 두렵다. 아니, 사실 불길하다.

　당신이 내가 이렇게 말하는 것을 용서해줄는지 모르겠지만, 모든 독자가 다 노련한 것은 아니다. (시모어가 영문과 정교수가 되다시피 했고 가르친 경력이 이미 이 년을 헤아리던 스물한 살 무렵 나는 그에게 가르치다가 혹시 실망하는 일이 있다면 그 이유가 무엇이냐고 물었다. 그는 가르치는 일에서 실망할 만한 것은 없지만, 두려워하게 된 것은 한 가지 있는 것 같다고 대답했다. 대학 도서관에서 책의 여백에 연필로 적어놓은 글을 읽는 것.) 이 이야기는 끝내겠다. 반복하지만 모든 독자들이 노련한 것은 아니다. 나는 내가 작가로서 표면적으로는 매력이 많다는 이야기를 듣는데—비평가들은 우리에게 **모든** 것을 이야기하는데, 그중에서도 최악의 것을 제일 처음 말한다—혹시나 내가 마흔까지 살았다는 것, 즉 지면의 '또다른 사람'과는 달리 자살을 하여 '사랑하는 모든 가족'을 고립시켜놓을 만큼 "이기적"이지 않다는 것에서 약간의 매력을 발견하는 유형의 독자가 있을까봐 진심으로 두렵다. (이 이야기는 끝내겠다고 했지만, 결국 그렇게 하지 못할 것 같다. 내가 본래 강철 같은 의지를 가진 인간이 못 되어서가 아니라, 이것을 제대로 끝내려면 그의 자살의 세부 사항들을 손봐야만 하는데—맙소사, 손을 보다니—내 진행 속도로는 앞으로 몇 년이 더 흘러도 그럴 준비가 되지 않을 것 같기 때문이다.)

하지만 잠자러 가기 전에 한 가지, 내가 보기에 아주 적절하게 느껴지는 것 한 가지만 말하겠다. 모두들 이것을 뒤늦게 생각나 덧붙이는 말로 단언하지 않기 위해 애써준다면 고맙겠다. 나는 당신에게 이 글을 마흔에 쓰는 것이 엄청난 이익 겸 불이익이 되는 완벽하게 설명 가능한 이유를 한 가지 제시할 수 있다. 시모어는 서른한 살에 죽었다는 것이다. 그를 그 고색창연한 것과는 너무나도 거리가 먼 나이로 불러내는 것조차 현재 나의 준비상태로는 몇 달, 아니 어쩌면 몇 년이 걸릴 것이다. 현재로서 당신은 그를 거의 언제나 어린아이 또는 소년으로(그러나 신에게 바라건대 절대 풋내기로는 아니기를) 보게 될 것이다. 지면상의 일로 내가 그와 함께 있는 동안은 나도 어린아이이거나 소년일 것이다. 그러나 배가 약간 나오고 또 거의 중년에 가까운 남자가 이 쇼를 진행하고 있다는 것을 나는 늘 의식할 것이고, 또 독자 역시, 동류라는 생각은 약간 덜하더라도, 마찬가지로 그것을 의식할 것이라고 믿는다. 내가 보기에 이런 생각은 삶과 죽음에 대한 대부분의 사실들보다 더 우울하지는 않지만, 그렇다고 덜 우울한 것도 아니

222

다. 지금까지 당신은 내 이야기만 들었지만, 만일 우리 둘의 위치가 바뀌어 시모어가 지금 내 자리에 앉아 있다면 내레이터이자 공식 진행자로서 자신이 엄청나게 나이가 많다는 것에 심각한 영향을 받아—사실 너무 괴로워서—이 프로젝트를 포기해버렸으리라는 것을 나는 아주 잘 알고 있다고 이야기하고 싶다. 물론 이 점에 대해서는 더이상 이야기하지 않겠지만, 어쨌든 이 이야기가 나온 것이 기쁘다. 이것은 진실이다. 그것을 단순히 눈으로만 보려 하지 않기를 바란다. 제발 그것을 느끼기 바란다.

결국 나는 자러 가지는 못하게 되었다. 이 근처 누군가 잠을 죽여버렸다.* 잘한 일이다.

날카롭고 불쾌한 목소리(내 독자들 중 누군가의 목소리는 아니다): 당신은 우리한테 당신 형이 '어떻게 생겼는지' 이야기해주겠다고 했잖아. 우리는 이런 염병할 분석과 끈적끈적한 이야기를 원하는 것이 아니란 말이야.

하지만 나는 원한다. 나는 이 끈적끈적한 이야기를 속속들이 원한다. 물론 분석은 조금 덜 할 수도 있지만, 이러한 이야기는 속속들이 하고 싶다. 이 글에서 조리를 세우고 싶다는 소망이 나에게 있다면, 그것을 가능하게 해줄 수 있는 것이 이런 끈적끈적한

---

* 연극 〈맥베스〉에서 자고 있는 덩컨 왕을 살해한 맥베스의 귀에 들려온 유령의 대사를 변형한 말.

이야기다.

그의 삶의 거의 어느 때이든(해외에 있을 때는 빼고) 당시 그의 얼굴, 형체, 태도—무엇이든지—를 묘사할 수는 있을 것 같다. 그것도 상당히 비슷하게 묘사할 수 있을 것 같다. 완곡어법은 피하고 싶다. 완벽한 이미지를 그려낼 수 있다. (이 이야기를 계속한다 할 때, 우리 가족 중 일부가 특출한 기억력, 회상의 능력을 가지고 있다는 것을 언제, 어디쯤에서 독자들에게 말해야 할까? 시모어, 주이, 그리고 내가. 그 이야기를 무한히 미룰 수는 없겠지만, 그래도 그것을 인쇄된 글자로 보면 얼마나 추할까?) 어떤 사람이 나에게 내가 묘사해야 할 시모어가 어느 시모어인지 전보를 보내 정확히 이야기해준다면 아주 큰 도움이 될 것이다. 나더러 그냥 **시모어**, 아무 시모어나 묘사하라는 것이라면, 좋다. 그래도 나는 생생한 그림을 그려줄 수 있다. 그러나 그 그림 속에서 그는 내 앞에 대략 여덟 살, 열여덟 살, 스물여덟 살의 나이로 동시에 나타나는데, 머리숱이 덥수룩한 동시에 상당히 벗어져 있고, 여름 캠프에 간 사람답게 빨간 줄무늬 반바지 차림인 동시에 중사의 수장(袖章)이 달린 주름 잡힌 카키색 셔츠를 입고 있고, 가부좌로 명상을 하며 앉아 있는 동시에 86번가 R.K.O. 극장의 2층 좌석에 앉아 있다. 나는 바로 그런 종류의 그림을 제시할 때의 위험을 느끼고 있는데, 사실 그렇게 하기가 싫다. 우선 그렇게 하면 시모어가 걱정할 것 같다. 자신의 '제재'가 자신의 셰르 메트르*이기도 할 때 그것은 무례가 된다. 만일 나의 본능과 적당히 상의한 뒤에 그의 얼굴을 제시하기 위해 문학적 입체주의 같은 것을 사용하기로 한다면 그는 별로 걱정하지 않을 것 같다. 사실 이 글의 나머지를 모두 소문자**로 쓴다 해도—나의 본능이 그렇게 하라고만 한다면—그는 전혀 걱정하지 않을 것 같다. 나로서는 여기에 입체주의의 어떤 형식이 들어온다 해도 괘념치 않을 터이지만, 나의 본능은 나더러 중하층 계급으로서 끝까지 멋지게 싸워보라고 말한다. 어쨌든 하룻밤 자고 생각해보고 싶다. 잘 자라. 안녕히 주무시오, 칼라배시 부인.*** 잘 자라, '염병할 묘사'여.

*

나 혼자 이야기를 하는 데 약간의 곤란을 겪고 있기 때문에, 오늘 아침 수업을 하다가(민망하게도, 발데마 양의 믿을 수 없을 정

---

* '스승'이라는 뜻의 프랑스어.
** lower-case. '소문자의'라는 뜻 외에도 '2류의'라는 뜻이 있다.
*** 미국 시인 테드 G. 셰리던의 시 'Mrs. Calabash, Goodnight, wherever you are⋯⋯'의 제목.

도로 꼭 끼는 반바지를 물끄러미 바라보던 도중에) 우리 부모 중한 사람이 먼저 발언을 하게 하면 정말 예의바른 일이 될 것이라고 결정을 했는데, 사실 '원시의 어머니'로부터 시작하는 것보다 더 나은 방법이 어디 있겠는가? 하지만 여기에 따르는 위험도 엄청나다. 어떤 사람들은 감정 때문에 결국 악의 없는 거짓말쟁이가 되지만, 어떤 사람들은 타고난 혐오스러운 기억 때문에 그렇게 된다. 예를 들어 베시에게 시모어의 중요한 점들 중 하나는 그가 키가 크다는 것이었다. 그녀의 머릿속에서 시모어는 늘 유난히 팔다리가 껑충한 텍사스 사람으로 등장하여, 방에 들어올 때는 언제나 머리를 숙인다. 그러나 실제로 그는 177센티미터였다. 복합 비타민을 복용하는 현대인의 기준으로 보자면 키 큰 남자 중에서는 작은 축이었다. 그에게는 그것이 문제가 되지 않았다. 그는 키가 큰 것을 조금도 달갑게 생각하지 않았으니까. 쌍둥이들의 키가 180센티미터를 넘어버렸을 때, 한동안 나는 시모어가 그들에게 조문 카드를 보낼지도 모른다는 생각에 사로잡히기도 했다. 만일 그가 오늘 살아 있다면 배우가 된 주이가 아담하게 성장한 것을 보고 활짝 웃음을 지을 것 같다. 그, S는 진짜 배우는 중력의 중심이 아래에 잡혀 있어야 한다는 것을 확고하게 믿었기 때문이다.

방금 "활짝 웃는다"고 말한 것은 실수다. 나는 이제 그가 웃음

짓는 것을 멈추게 할 수가 없다. 진지한 유형의 다른 작가가 나 대신 여기 앉아 있으면 나는 아주 행복할 것 같다. 내가 이 직업을 택하면서 처음 했던 맹세 가운데 하나가 인쇄된 지면에서 내 등장인물의 '웃음'이나 '싱긋 웃음'에 제동을 걸겠다는 것이었다. 재클린은 싱긋 웃었다. 큰 몸집에 게으른 브루스 브라우닝이 교활하게 웃음을 지었다. 미타게센 선장의 울퉁불퉁한 얼굴 위로 소년 같은 웃음이 환하게 번졌다. 그럼에도 여기서 웃음은 무시무시하게 나를 압박해온다. 최악의 것부터 먼저 처리하자면, 그의 웃음은 치아가 그저 그런 정도와 보기 흉한 정도의 중간쯤이었던 사람치고는 아주, 아주 멋있었다고 생각한다. 그것의 구조에 대해 쓰는 것은 전혀 번거롭게 여겨지지 않는다. 방 안의 다른 모든 얼굴의 교통이 완전히 정지해 있거나 어느 한 방향으로만 움직이고 있을 때 그의 웃음은 종종 반대 방향에서 앞뒤로 움직이곤 했다. 그의 배전기는 가족 내에서도 표준은 아니었다. 그는 어린아이들이 생일 케이크의 촛불을 불어 끌 때 짓는 음울하다고는 할 수 없어도 엄숙하다고는 할 수 있는 그런 표정을 짓기도 했다. 반면 아이들 가운데 하나가 뗏목 밑에서 헤엄을 치다가 어깨가 쓸렸다고 보여줄 때는 분명히 즐거운 표정을 짓기도 했다. 엄밀하게 따졌을 때 그는 사교적으로 웃음을 짓는 일이 전혀 없었지만, 그의 얼굴에서 본질적으로 적절한 것이 빠지는 일은 결코 없었다고 말해도 틀리지 않을 것 같다(어쩌면 아주 약간은 과장일지 모르지만). 예를 들어 아이가 어깨를 긁혔을 때 짓는 그의 웃음은 어깨를 긁힌 당사자에게는 약이 오르는 것이었지만, 아이의 정신을 다른 데 팔게 만드는 것이 더 중요한 그 상황에서 어김없이 제 역할을 한 것이었다. 그가 생일 축하 파티, 또는 기습 파티에서 엄숙한 표정을 지어도 파티의 흥은 깨지지 않았다. 마찬가지로 그가 예컨대 첫 영성체 때나 바르 미츠바* 때 손님으로 가서 싱긋 웃어도 분위기가 깨지는 일은 거의 없었다. 내가 팔이 안으로 굽는 그의 형제이기 때문에 이런 말을 하는 것은 아니라고 생각한다. 그를 전혀 모르는 사람들, 아주 조금만 아는 사람들, 현역 또는 은퇴한 '라디오의 어린 유명인사'로만 아는 사람들은 이따금 그의 얼굴의 어느 특정한 표정 ─ 또는 특정한 표정이 없는 것 ─ 에 당황했지만, 그것은 잠깐뿐이었던 것 같다. 그런 경우 당황했던 사람들은 호기심에 가까운 무언가를 느끼며 기분 좋아하곤 했다. 내가 기억하는 바로는 어떤 사람도 그것에 화를 내거나 짜증을 부리지 않았다. 그 한 가지 이유 ─ 물론 가장 덜 복잡한 이유 ─ 는 그의 모든 표정이 솔직했다는 것이다. 그가 어른으로 성장했을 때도(이것이야말로 팔이 안으로 굽는 말인 것 같은데), 나는 그가 뉴욕 광역권

---

* 유대교의 성인식.

에서 성인으로서는 아마 가장 완벽하게 방심한 얼굴을 지니고 있었을 것이라고 생각한다. 그의 얼굴에 약간이라도 부정직하고, 꾸민 듯한 표정이 떠오른 것은 아파트 근처에서 피붙이들을 일부러 즐겁게 해줄 때뿐이었다는 것이 내 기억이다. 그러나 이것도 매일 있는 일은 아니었다. 전체적으로 그는 '유머'를 맛볼 때도 우리 가족 가운데 다른 누구에게서도 볼 수 없었던 절제심을 보여주었던 것 같다. 약간 힘주어 말하지만, 그렇다고 해서 유머가 그의 주식(主食)이 아니었다고 말하려는 것은 아니다. 다만 그는 일반적으로 자기 자신을 위해서는 가장 작은 조각만 먹었거나 가져갔다고 말하려는 것이다. '가족 상비 농담'은 아버지가 안 계신 경우에는 거의 늘 그의 차지였으며, 그는 보통 그것을 선뜻 해치우곤 했다. 지금 하고 있는 이야기의 깔끔한 예를 한 가지 들도록 하겠다. 내가 그에게 새로 쓴 단편을 낭독해주면 그는 대화가 나오는 중간에 꼭 한 번씩은 말을 끊고 내가 '구어의 박자와 운율을 잘 알아듣는 귀'를 가지고 있다는 사실을 스스로 알고 있느냐고 물어보는 것이 확고한 관례였다. 나에게 그 질문을 하면서 아주 지혜로운 표정을 짓고 있는 것이 그의 즐거움이었다.

내가 다음에 이야기할 부분은 '귀'다. 사실 나는 귀라면 작은 영화 하나라도 만들 수 있다. 내 여동생 부부가 열한 살 때쯤 저녁을 먹다 말고 갑자기 충동적으로 자리를 뜨더니 잠시 후에 다시 불쑥 나타나 가제식 공책에서 떼어낸 고리 한 쌍을 시모어의 귀에 걸어보았던 일도 화면에 비가 내리는 릴 한 개짜리 영화다. 그애는 결과에 아주 만족했고, 시모어는 저녁 내내 그것을 달고 다녔다. 거기서 피가 날 때까지라도 그렇게 했을 것이다. 그러나 그 고리들은 시모어에게 어울리지 않았다. 안됐지만 시모어의 귀는 해적의 귀가 아니라, 늙은 카발라주의자*나 늙은 붓다의 귀였다. 귓불이 아주 길고 도톰했다. 몇 년 전 새까만 양복을 입고 이곳에 들렀던 웨이커 수사가 『타임스』의 낱말 맞추기를 하고 있던 나에게 S의 귀가 당나라 시대의 귀라고 생각하지 않느냐고 물은 적이 있다. 나 같으면 그보다 더 오래 전으로 잡을 것 같다.

자러 가야겠다. 자기 전에 안스트루서 대령**과 '서재'에서 한 잔하고, 그 다음에 침대로 갈까. 왜 이 일이 나를 이렇게 지치게 하는 걸까? 손에 땀이 나고, 뱃속이 부글거린다. '통합된 인간'은 여기에 없다.

눈만, 그리고 어쩌면(분명히 어쩌면이라고 했다) 코만 빼면, 그의 얼굴의 나머지는 무시하고 넘어가고 싶은 유혹을 느낀다. '포괄적'은 무슨 얼어죽을 놈의 포괄적. 나는 독자의 상상력을 위한 부분을 전혀 남겨놓지 않았다는 비난은 견딜 수 없다.

---

* 유대교 신비주의자.

** Colonel Anstruther. 술 이름.

*

편리하게 묘사할 수 있는 한두 가지 방식으로 말하자면, 그의 눈은 내 눈과 레스의 눈과 부 부의 눈을 닮았는데, (a) 약간 부끄 럽기는 하지만, 우리의 눈이 모두 아주 짙은 쇠꼬리색 또는 '애조 띤 유대계 갈색' 이라고 묘사할 수 있는 색깔의 눈이며, (b) 우리 의 눈이 모두 반원을 그리고 있으며, 두어 명의 경우에는 완전히 자루 모양이라는 점에서 그렇다. 그러나 가족 내의 모든 유사성 은 거기서 완전히 끝이 난다. 집안 여자들에게 약간 무례를 범하 는 것 같지만, 우리 가족 가운데 "최고의" 눈을 꼽으라고 한다면 나는 시모어와 주이에게 표를 던지겠다. 그러나 이 두 눈은 또 서 로 완전히 다른데, 색깔의 차이는 가장 사소한 차이일 뿐이다. 몇 년 전 나는 대서양 횡단 여객선에 탄 "재능 있는" 꼬마를 주인공 으로 하여 이례적일 정도로 '뇌리를 떠나지 않는', '기억에 남을 만한', 불쾌하게 물의를 일으킨, 완전 실패작인 단편을 발표한 적 이 있는데, 그곳 어딘가에 소년의 눈에 대한 자세한 묘사가 나온 다. 행복한 우연의 일치인지, 지금 이 순간 나에게 그 단편이 있 다. 내 목욕 가운 옷깃에 우아하게 꽂아두고 있다. 거기서 인용해 보겠다. "옅은 갈색에 전혀 크지 않은 눈은 약간 사팔눈이었다. 왼쪽 눈이 오른쪽 눈보다 더 심했다. 그러나 기형이라고 할 만큼,

또는 누구나 첫눈에 눈치를 챌 수 있을 만큼은 아니었다. 그냥 언급해둘 만큼만 사팔뜨기였으며, 누군가 그 눈을 보고 나서 오랫동안 진지하게 생각해본 뒤에 그 눈들이 좀더 똑바르거나 더 깊기를, 아니면 더 갈색이기를, 혹은 사이가 좀더 넓기를 바랄 수도 있다는 맥락에서만 사팔뜨기였다." (여기서 잠깐 쉬며 숨을 돌리는 것이 좋겠다.) 사실(진실로, 웃자고 한 것은 아니다), 그 눈들은 결코 시모어의 눈이 아니었다. 시모어의 눈은 검은 색이었고, 아주 컸고, 적절한 간격을 두고 있었고, 또 굳이 말하자면 사팔뜨기라는 느낌이 지나치게 부족했다. 그러나 우리 가족 가운데 적어도 두 사람은 내가 그 대목에서 시모어의 눈을 묘사하려 했다는 것을 알았고 또 그렇게 말하기도 했다. 심지어 묘하게도 내 묘사가 그다지 나쁘지 않다고 느끼기까지 했다. 사실 시모어의 눈에는 언뜻 나타났는가 하면 또 금세 사라지고 마는, 옅디옅은 사팔뜨기 같은 느낌이 있었다 — 물론 그의 눈은 사팔뜨기가 아니었고, 바로 그 점이 내가 골치 아파하던 대목이었다. 나만큼이나 재미를 좋아하던 또 한 사람의 작가 — 쇼펜하우어 — 도 그의 흥겨운 작품 어딘가에서 비슷한 한 쌍의 눈을 묘사하려 했고, 기쁘게도 나에게 필적할 만한 실수를 했다.

좋다. '코'. 이제 잠깐만 힘을 들이고 나면 끝이라고 나는 혼잣말을 한다.

1919년과 1948년 사이에 아무 때나 누군가 시모어와 내가 많은 다른 사람들과 함께 섞여 있는 방에 들어왔다면, 그와 내가 형제라는 것을 알 수 있는 방법은 하나밖에 없었을 것인데, 그것은 아주 확실한 방법이다. 즉 코와 턱으로 구별하는 방법이다. 물론 턱에 대해서는 우리 형제에게는 턱이 거의 없다고 말하는 것으로 금방 산뜻하게 처리해버릴 수 있다. 그러나 힘주어 말하거니와 코는 있었으며, 나아가 우리의 코는 거의 똑같았다. 크고, 살이 많고, 나팔처럼 생긴 우리 둘의 코는 가족 내 다른 어느 누구의 코와도 달랐는데, 다만 예외로, 아주 생생하게 드러나는 것이지만, 사랑하는 증조부 조조의 코만이 비슷했다. 나는 어렸을 때 옛날 은판사진에 나온 그 풍선 같은 코를 보고 깜짝깜짝 놀라곤 했다. (생각해보니 신체와 관련된 농담은 절대 하지 않는 시모어가 한번은 우리가 코—그의 코, 내 코, 증조부 조조의 코— 때문에 어떤 사람들이 턱수염으로 부딪히는 것과 똑같은 문제, 즉 잘 때 그것을 이불 밖에 내놓을 것이냐 안으로 들여놓을 것이냐 하는 문제에 부딪힐지도 모른다고 말해서 나를 약간 놀라게 한 적이 있다.) 하지만 이 이야기는 너무 공허하게 들릴 염려가 있다. 이 코들이 시라노* 식의 로맨틱한 돌출은 아니었다는 점은 분명히—필요하다면

---

* 시라노 드 벨주락. 에드몽 로스탕의 동명 희곡의 주인공으로, 코가 매우 큰 인물.

불쾌할 정도로 분명히 — 해두고 싶다. (이것은 이 정신분석학적인 멋진 신세계에서는 모든 면에서 위험한 주제인 것 같은데, 이 세계에서는 거의 모든 이들이 시라노의 코와 그의 재치 있는 말 중 어느 것이 우선인지를 당연한 일처럼 알고 있으며, 또 코는 크지만 말이 어눌하다고 확실하게 판명난 모든 사람들에 대해서는 국제적이고 임상적인 침묵이 널리 퍼져 있기 때문이다.) 우리 두 코의 전체적인 넓이, 길이, 윤곽에서 언급할 만한 가치가 있는 유일한 차이는 시모어의 콧마루가 오른쪽으로 눈에 띄게 휘어, 그쪽으로 매우 기운 것처럼 보인다는 점이라고 말할 수밖에 없겠다. 시모어는 늘 그것 때문에 내 코가 상대적으로 귀족적으로 보인다고 생각했다. 이 "휜 부분"은 우리가 리버사이드 드라이브의 아파트에 살 때 가족 가운데 누군가 현관에서 아무 생각 없이 야구 방망이로 스윙 연습을 하다가 생긴 것이었다. 이 불운한 일 이후에 그의 코는 한 번도 제대로 자리를 잡지 못했다.

만세. 코가 끝났다. 자러 가야지.

*

아직 지금까지 쓴 것을 읽어볼 엄두가 나지 않는다. 시계가 자정을 알림과 동시에 중고 로열 타자기의 리본으로 변할지도 모른다는 오랜 직업적 공포가 오늘 밤에는 유난히 심하다. 하지만 내가 아랍 족장의 생생한 초상화를 제시하고 있었던 것은 아니라는 생각이 든다. 이것이 공정하고 정확한 생각이기를 바라는 마음이다. 동시에 나의 염병할 무능과 흥분 때문에 S가 흔히 이야기되는 짜증나는 용어로 '매력적으로 못생긴 남자'로 생각되지 않기를 바란다. (이것은 어떤 경우이든 매우 수상쩍은 꼬리표인데, 일부 여자들—실재하든 가공이든—이 달콤하게 훌쩍거리는 모습이 가관인 악마들이나, 그 정도로 명백하게 드러나지는 않지만 어쨌든 가정교육이 형편없는 백조들에게 야릇하다고 할 수 있는 매력을 느낄 때, 그것을 정당화하기 위해 가장 흔하게 사용하는 말이다.) 되풀이하여 못박아둘 필요가 있는지는 몰라도—이미 그렇게 하고 있다는 것을 나도 알고 있다—우리가 약간의 정도 차이는 있지만, 눈에 거슬리게 "못생긴" 아이들이었다는 점은 분명히 해두어야겠다. 맙소사, 우리는 못생겼다. 나이가 들고 얼굴에 "살이 채워지면서" 우리 생김새가 "상당히 나아졌다"고 말할 수는 있지만, 아이 때부터 사춘기에 이르기까지 진정으로 사려 깊은 아주 많은 사람들이 우리를 처음 보았을 때 분명히 마음이 아팠을 것이 틀림없다고 주장하고 또 주장해야 하겠다. 물론 이것은 어른들 이야기일 뿐 아이들은 다르다. 대부분의 어린아이들은 그렇게 간단히 마음 아파하지 않는다—어쨌든 그런 식으로는 아니다. 그렇다고 대부분의 어린아이들이 특별히 마음이 넓은 것도 아니다. 아이들의 파티에서 관대한 척 약간 허세를 부리고 싶어 하는 어머니가 종종 '병 돌리기'*나 '우체국'** 같은 놀이를 권하곤 했는데, 나는 유년 시절에 글래스 집안에서 가장 나이가 많은 두 아이가 부치지 않은 편지(논리적이지는 않지만 만족스러운 표현인 듯하다)가 든 자루를 연거푸 받는 데는 이골이 났다고 거리낌 없이 증언할 수 있다. 물론 '우체국장'이 창녀 샬롯이라고 불리던 여자애일 경우는 예외였는데, 뭐 그애는 어차피 약간 미친 아이였으니까. 우리가 이것 때문에 신경을 썼을까? 이것이 우리에게 고통을 주었을까? 자, 작가여, 신중하게 생각해보라. 아주 천천히, 아주 생각을 많이 해본 뒤에 나온 답은 거의 한 번도 그런 적이 없다는 것이다. 나 자신의 경우에는 세 가지 이유가 있었다는 생각이 금방 떠오른다. 우선 한두 번 동요하던 시기를 제외하면, 나는 어린 시절 내내—대체로 시모어의 강요 덕분이었지만 결코 전적으로 그것 때문만은 아니다—나 자신이 엄청나게 매혹적이고

---

* 남자가 병을 돌려 그것이 멈추었을 때 병 입구 쪽이 가리키는 여자와 키스를 하는 놀이.
** 우체국장이 된 사람이 편지를 건네주는 흉내를 내면서 상대 이성에게 키스를 청하는 놀이.

236

유능한 아이이며, 누가 이와 다르게 생각한다면 그것은 그 사람 취향의 분명한 반영이지만 묘하게도 중시할 필요는 없는 것이라고 믿었다. 둘째로(당신이 이 이야기를 참아준다면 계속하겠는데, 사실 당신이 참을 수 있을는지는 모르겠다), 나는 다섯 살도 되기 전에 크면 뛰어난 작가가 될 것이라는 완전한 장밋빛 확신을 가졌다. 셋째로, 나는 시모어를 신체적으로 닮았다는 것이 늘 은근히 기쁘고 자랑스러웠는데, 나는 이런 태도에서 벗어난 적이 거의 없었고, 특히 마음속에서는 정말 그랬다. 보통 그렇듯이 시모어의 경우는 상황이 나와 달랐다. 그는 자신의 우스꽝스러운 모습에 대해 신경을 많이 쓰다가, 또 어느 때는 전혀 신경 쓰지 않는 모습을 번갈아 보여주었다. 신경을 많이 썼던 경우는 다른 사람들을 위한 것이었다. 지금 이 순간 내 머릿속에는 특히 우리 여동생 부 부가 떠오른다. 시모어는 그애에게 열광적이었다. 사실 이것은 별 내용 없는 말인 것이, 그는 가족 내의 모든 사람들, 그리고 가족 외부의 대부분 사람들에게 열광적이었기 때문이다. 그러나 내가 아는 모든 어린 여자애들처럼 부 부도 어른들 일반의 실언과 실수 때문에 하루에 적어도 두 번은 죽는 단계를 거쳤다 — 하지만 감탄할 정도로 짧게 끝냈다는 말도 덧붙여야겠다. 이 시기가 절정에 이르렀을 때는 그녀가 좋아하는 역사 선생님이 점심식사 후 샬롯 루스*를 뺨에 점처럼 묻히고 수업에 들어온 것만으로도 부 부는 책상에 앉은 채 시들어 죽어버릴 수 있었다. 그러나 그 애는 그것보다 약간 더 사소한 이유로도 죽어서 집에 돌아오는 경우가 허다했다. 이런 경우 시모어는 신경을 쓰고 걱정했다. 그는 부 부 때문에, 특히 파티에서 우리(그와 나)에게 다가오는 어른들, 또는 우리에게 우리가 오늘 밤 얼마나 멋져 보이는지 모른다고 말하는 사람들 때문에 걱정했다. 꼭 그런 일은 아니라 해도, 그런 종류의 일은 심심치 않게 생겼으며, 그럴 때면 부 부는 어김없이 그런 말이 귀에 들리는 곳에 있었기 때문에 마치 적극적으로 죽음을 기다리는 사람 같았다.

어쩌면 나는 그의 얼굴, 그의 신체의 얼굴이라는 주제를 놓고 지나치게 나아갈 가능성에 대해 마땅히 해야 할 만큼보다 걱정을 덜 하는 것 같다. 나는 내 방법에 전체적인 완성도가 부족하다는 것을 기꺼이 인정하겠다. 어쩌면 이 묘사 전체가 지나친 것인지도 모른다. 우선 그의 얼굴 생김새에 대해 거의 모든 이야기를 했지만, 그 얼굴의 생명에 대해서는 아직 말도 꺼내지 못했기 때문이다. 그 생각 자체만으로도—미처 예상하지는 못했지만—엄청나게 기가 죽는다. 그러나 내가 그렇게 느끼는 동안에도, 내가 그 생각으로 풀이 죽어가고 있는 중에도 처음부터 가졌던 어떤 확

---

* 커스터드 케이크의 일종.

신은 말짱하게 ― 따스하고 건조하게 ― 남아 있다. "확신"은 결코 정확한 말이 아니다. 그것은 최고로 맷집이 좋은 권투선수에게 주는 상 또는 인내력 증명서에 가깝다. 나에게는 지식, 과거 11년 동안 종이 위에 그를 묘사하면서 겪은 나의 모든 실패로부터 얻은 일종의 편집자적 통찰이 있다는 느낌인데, 이 지식에 의하면 그는 조심스러운 표현으로는 포착할 수 없다. 사실 그 반대다. 나는 1948년 이래로 그에 대하여 적어도 한 다스의 단편이나 스케치를 썼다가 무슨 연극을 하듯 태워버렸다. 그 가운데 일부는 내 입으로 말하기 쑥스럽지만, 상당히 기운차고 읽을 만하다. 그러나 그것들은 시모어가 아니다. 시모어를 위하여 조심스러운 표현들을 꾸며내면, 그것은 결국 숙성하여 거짓말이 된다. 예술적인 것이거나, 또 가끔은 심지어 유쾌한 것일지도 모르지만, 어쨌든 그것은 거짓말이다.

한 시간 정도 더 잠을 안 자고 버텨야겠다는 느낌이 든다. 교도관! 봐라, 이 사람, 자러 가지 않는다.

전혀 괴물처럼 보이지 않는 것들도 많이 있었다. 예를 들어 그의 손은 매우 고왔다. 아름답다고 말하기는 망설여진다. 완전히 저주받을 표현인 "아름다운 손"과 마주치고 싶지 않기 때문이다. 손바닥은 넓었고, 뜻밖에도 엄지와 검지 사이의 근육이 발달된 것처럼 "강해"(인용부호는 불필요하다 ― 제발 긴장을 풀어라) 보였지만, 손가락들은 심지어 베시의 손가락들보다 길고 가늘었다. 가운뎃손가락은 재단사의 줄자로 재어보고 싶다는 느낌을 주었다.

지금 나는 방금 쓴 문단을 생각하고 있다. 즉 거기에 들어가 있는 개인적인 감탄의 양에 대해 생각한다는 것이다. 자기 형의 손에 대해 어느 정도 선에서 감탄을 멈추어야 소수의 현대인이 눈썹을 치켜올리지 않게 할 수 있을까? 윌리엄 신부님, 젊은 시절 나의 이성애(나의 자발적 의사와 반드시 관계가 있다고 할 수는 없지만 어쨌든 별 진척이 없었던 몇 번의 시기를 제외하면)는 나의 옛 스터디 그룹 몇 군데서 흔히 입에 올리는 화제가 되곤 했답니다. 그러나 지금 나도 모르게 기억하게 되는 것, 어쩌면 아주 약간이기는 하지만 지나치다고 말할 수 있을 정도로 생생하게 기억나는 것은, 소피아 톨스토이가 의심할 여지 없이 자극이 풍부했던 결혼 생활의 절정기들 중 한 시기에 그녀가 낳은 자식 열세 명의 아버지, 결혼 생활 동안 매일 밤 계속 그녀를 불편하게 하던 나이든 남자에게 동성애적 성향이 있다고 비난한 일이다. 나는 대체로 소피아 톨스토이가 총명한 것과는 거리가 먼 여자였다고 생각한다. 더욱이 나를 구성하는 원자들의 배치 때문에 나는 체질적으로 연기가 나는 곳에 불은 거의 없고, 보통 딸기 젤로*가 있다고 믿는 편이다. 하지만 진실로 힘주어 말하거니와, 전부 아니면 무

(無)라고 생각하는 모든 산문작가, 또는 심지어 그런 작가가 되고 싶은 사람에게는 자웅동체적 경향이 엄청나다고 믿는다. 만일 그가 눈에 보이지 않는 치마를 입은 남성 작가를 보고 킥킥댄다면, 그는 자신을 영원히 위험에 빠뜨릴 짓을 하는 것이다. 이 문제에 대해서는 더이상 이야기하지 않겠다. 이것은 쉽게, 또 흥미 위주로 '악용될' 수 있는 종류의 고백이다. 실제보다 활자로 나갈 때 더 겁쟁이가 되지 않는다면 그것이 오히려 이상한 일이다.

시모어의 말하는 목소리, 그 믿을 수 없는 후두, 그것은 여기서 이야기할 수 없다. 우선 제대로 차근차근 설명할 여유가 없다. 일단은 나 자신의 매력적이지 못한 '신비의 목소리'를 통해, 그의 말하는 목소리는 내가 몇 시간이고 귀를 기울였던 악기들 가운데 가장 뛰어나면서도, 아주 불완전한 악기였다고만 말해두겠다. 하지만, 되풀이하거니와, 그것을 완전하게 묘사하는 일은 미루고 싶다.

그의 살갗은 짙은 색으로, 적어도 혈색이 나쁘다는 말과는 아주 먼, 안전한 쪽이었으며, 아주 깨끗했다. 그는 사춘기 내내 여드름 하나 나지 않았는데, 나는 이 점 때문에 어리둥절했을 뿐 아니라 짜증도 많이 났다. 그도 나와 거의 똑같은 양의 노점상 식품 —

---

* 디저트의 일종.

우리 어머니 표현을 따르면 '손 한 번 씻지 않는 더러운 사람들이 만드는 비위생적인 식품' — 을 먹었고, 적어도 나만큼 병에 든 소다를 마셨고, 분명히 나만큼 손을 안 씻었기 때문이다. 사실 나보다도 훨씬 덜 씻었다. 그는 나머지 아이들 — 특히 쌍둥이들 — 이 규칙적으로 목욕을 하도록 돌보느라 너무 바빴기 때문에 자신의 차례를 놓치는 일이 많았다. 이야기가 나온 김에, 그다지 편리하달 수는 없지만, 바로 이발소 건으로 돌아가보는 게 좋겠다. 어느 날 오후 우리가 이발을 하러 가는데 그가 암스테르담 애비뉴 한가운데서 갑자기 멈추어 서더니, 양쪽에서 승용차와 트럭들이 우리 몸을 가위질할 듯 오가는 와중에, 나에게 아주 냉정한 표정으로 자기 없이 혼자 이발을 하면 안 되겠느냐고 물었다. 나는 우선 그를 인도로 끌어당긴 다음(어릴 적부터 내가 그를 인도로 끌어당길 때마다 오 센트씩 받았으면 지금쯤 부자가 되었을 것이다!) 안 된다고 분명하게 말했다. 그는 자기 목이 깨끗하지 않다고 생각하고 있었다. 그래서 이발사인 빅터를 그의 더러운 목을 바라봐야 하는 불쾌한 의무에서 면해줄 계획이었던 것이다. 엄밀히 말해서, 그의 목은 사실 더러웠다. 그가 셔츠 깃 뒤쪽에 손가락을 집어넣고 나더러 한번 보라고 말한 것이 그때가 처음도, 마지막도 아니었다. 그 구역은 보통 필요한 만큼 청결이 유지되고 있었으나, 안 될 때는 확실하게 안 되었다.

이제 정말 자러 가야겠다. 여학생부장—아주 착한 사람이다—이 동이 트자마자 진공청소기를 들고 올 것이다.

*

옷이라는 끔찍한 주제도 여기 어딘가에 끼어들어야 한다. 만일 작가들이 등장인물의 옷을 품목 하나하나, 주름 하나하나 묘사할 수 있다면 얼마나 편리할까. 그런데 왜 그렇게 하지 못하는가? 부분적으로는 우리가 한 번도 만난 적이 없는 독자를 불리한 입장에 밀어넣거나, 아니면 미심쩍은 구석을 남기고 넘어지게 하려는 경향이 있기 때문일 것이다. 불리한 입장에 밀어넣는 것은 독자가 우리만큼 인간과 관습에 대해 알지 못할 것이라고 생각하는 경우이며, 미심쩍어하도록 내버려두는 것은 독자가 우리가 알고 있는 것과 같은 작고 세련된 자료를 꿰고 있지 못하다고 믿는 쪽을 택하는 경우이다. 예를 들어 내가 발 전문의를 찾아갔다가 대기실의『피커부』잡지에서 미국에서 크게 활약하고 있는 공인—영화 배우일 수도 있고, 정치가일 수도 있고, 새로 임명된 대학 총장일 수도 있다—의 사진을 우연히 보게 되었다 치자. 만약 발치에는 비글이 앉아 있고 벽에는 피카소의 그림이 걸려 있으며 사진 속의 인물은 노포크 재킷*을 입은 채 편안히 집에 있는 모습이라면, 나는 보통 개에게는 아주 잘해주려 할 것이고 피카소에게는 예의를 갖추겠지만, 미국의 공인들이 흔히 입고 있는 노포크 재킷에 대해 결론을 내려야 하는 상황이 오면 편협해질 수도 있다. 즉 내가 애초에 그 특정 인물에 반해 있는 상태가 아니라면, 그 재킷이 내 태도를 결정해버리게 될 것이다. 나는 그것을 보고 그의 지평이 염병할 정도로 너무 빠르게 넓어지고 있는 중이기 때문에 내가 끼어들 자리는 없으리라고 생각해버릴 것이다.

이야기를 계속하자. 커가면서 S와 나는 옷을 아주 못 입었는데, 각각 나름의 방식으로 그랬다. 우리가 그렇게 옷을 지지리도 못 입었다는 것은 약간(많이는 아니고) 이상한 일이다. 어렸을 때 우리는 아주 만족스럽게, 또 눈에 두드러지지 않게 옷을 입고 다녔던 듯하기 때문이다. 우리가 라디오 연기자로 일하던 시절 초기에 베시는 옷을 사려고 우리를 5번가 데 피나의 옷가게로 데려가곤 했다. 애초에 그녀가 어떻게 그 수수하고 훌륭한 상점을 알게 되었는가 하는 것은 모두 추측만 할 뿐 아무도 확실하게 알지는 못했다. 생전에 아주 우아했던 동생 월트는 베시가 그냥 옆에 있는 경찰관에게 다가가 물어봐서 알아낸 것이라고 넘겨짚곤 했다. 이

---

* 허리띠가 달린 헐렁한 남성용 재킷.

것이 터무니없는 추측이랄 것도 없는 것이, 우리의 베시는 우리가 어렸을 때 골치 아픈 문제가 생기면 습관적으로 뉴욕에서 드루이드 교(敎)의 신탁(神託)에 가장 가까운 것, 즉 아일랜드 교통경찰을 찾아가곤 했기 때문이다. 어떤 면에서는 아일랜드인의 운이라고 소문난 것이 베시가 데 피나를 발견한 것과 무슨 관계가 있는 것이 아닌가 하는 생각이 들기도 한다. 그러나 모든 것이 그랬던 것은 결코 아니다. 예를 들어(관계는 없지만 멋진 예이다), 어머니는 결코 독서가 ─ 이 말의 의미를 아무리 확대한다 해도 ─ 가 아니었다. 그러나 나는 그녀가 내 조카들 중 하나에게 생일 선물을 사주기 위해 5번가의 번지르르한 책의 전당들 가운데 한 곳으로 들어갔다가 나와서, 케이 닐슨이 삽화를 그린 『태양의 동쪽, 달의 서쪽』을 들고 등장하는 것을 본 적이 있는데, 만약 그녀를 안다면 그녀가 서점 안을 돌아다니며 손님들을 도와주는 영업사원들에게 숙녀다우면서도 초연한 태도를 취했을 것이라고 확신할 수 있을 것이다.

그러나 이 정도로 해두고, 우리가 '젊은이'로서 어떤 모습이었는지 다시 이야기해보자. 우리는 십대 초반이 되자 베시에게서, 그리고 서로에게서 독립하여 각자 스스로 옷을 사기 시작했다. 시모어는 나보다 나이가 많았기 때문에 말하자면 먼저 가지를 뻗기 시작했다. 그러나 나는 기회가 오자 잃어버린 시간을 보충했다.

막 열네 살이 되었을 때 차가운 감자처럼 5번가에 떨궈져서, 곧장 브로드웨이로 향한 기억이 난다. 구체적으로 50번가에 있는 한 가게를 향했던 것인데, 그곳의 종업원들은 꽤나 적대적이었지만 그래도 날 때부터 옷을 멋지게 입도록 타고난 사람은 한눈에 알아보는구나 하는 생각이 들었다. 시모어와 내가 함께 방송에 나가던 마지막 해―1933년―에 나는 방송이 있는 밤마다 옅은 회색 더블브레스트 양복을 입고 갔다. 어깨에 패드를 무겁게 댄 양복이었다. 그 밑에는 짙은 파란색 셔츠를 입었는데 거기에는 할리우드 "롤" 칼라가 달려 있었다. 그리고 내가 아무 때나 공식적인 자리가 생기면 매고 나가려고 준비해둔 똑같은 적황색 넥타이 두 개 중 깨끗한 것을 맸다. 솔직히, 그후로 어떤 상황에서도 그 넥타이를 맸을 때만큼 기분이 좋아지지는 않았다. (글쓰는 사람은 자신의 낡은 적황색 넥타이를 절대 없애버리지 않을 거라 생각한다. 그 넥타이들은 조만간 그의 산문에 나타나게 되어 있으며, 그 점에 대해 그가 어찌해볼 수 있는 일은 별로 없다.) 반면 시모어는 아주 단정한 옷을 골랐다. 그러나 이 경우 문제는 그가 산 옷이 ― 특히 양복과 외투가 ― 한 번도 그에게 제대로 맞은 적이 없다는 것이다. 옷을 몸에 맞게 고쳐주는 사람이 다가올 때마다 옷을 반쯤 입은 채로 달아나 분필로 제대로 표시를 할 수 없었던 것이 틀림없다. 그의 저고리는 모두 위로 밀려 올라가거나 아래로 늘어

246

졌다. 소매는 보통 엄지 중간 관절까지 내려오거나 손목뼈에서 멈추었다. 바지 엉덩이는 늘 최악에 가까웠다. 이 부분은 가끔 경외감을 불러일으켰는데, 마치 36 표준 사이즈의 엉덩이가 골대 그물에 들어간 농구공처럼 42 장(長) 사이즈의 바지에 풍덩 빠진 듯했다.

그러나 여기에서는 좀더 만만찮은 다른 측면들을 생각해볼 필요가 있다. 그는 일단 어떤 옷가지를 몸에 걸치면, 그것에 대한 모든 세속적인 의식(意識)을 잃어버렸다 ─ 아마 자기가 완전히 벌거벗지는 않았다는 어떤 모호한 법률적 인식만 있었을 것이다. 이것은 단지 우리 모임들 내에서 '옷 잘 입는 사람'이라고 일컬어지는 존재가 되는 것에 대한 본능적인, 또는 심지어 철저하게 교육된 반감의 표시 같은 것만은 아니었다. 나는 그가 옷을 '살' 때 한두 번 따라간 적이 있는데, 돌이켜보면 그는 크지는 않지만 내가 보기에는 만족스럽게 느껴질 만큼의 자존심을 가지고 옷을 샀던 것 같다. 마치 젊은 브라마차리아, 즉 힌두교의 초심자가 허리에 두르는 천을 처음으로 고르는 것 같았다. 아, 정말 이상한 일이었다. 그러나 그가 실제로 옷을 입는 바로 그 순간, 시모어의 옷은 늘 뭔가 잘못되었다. 그는 열린 옷장문 앞에 서서 우리 넥타이 걸이 걸이 중에서 자기 것을 살피는 데 보통 족히 삼사 분은 쏟아부었지만, 그가 실제로 고르기만 하면 넥타이가 불운한 운명에 처한다는 것을 누구나 알고 있었다(그를 지켜보며 앉아 있을 정도로 멍청한 사람이라면 누구나 확인할 수 있었다). 매듭이 될 부분은 그의 셔츠 칼라의 V자 속에 편안하게 자리 잡지 못할 운명이거나—그래서 목의 단추에 약 0.5센티미터 못 미친 곳에서 멈추기 일쑤였다—아니면 매듭이 제자리로 무사히 미끄러져 들어간다 해도 목 뒤 칼라가 접힌 곳 밑에서 관광객이 매고 있는 쌍안경 끈처럼 삐져나올 운명이었다. 하지만 이런 크고 어려운 주제에 대해서는 그만 이야기하고 싶다. 간단히 말해서 우리 가족은 전부 종종 그의 옷 때문에 절망 비슷한 것에 빠져들곤 했다. 사실 나는 대충만 묘사했을 뿐이다. 그런 일은 여러 가지로 변형되어 수도 없이 나타났다. 예컨대 여름날 칵테일 러시아워* 때 빌트모어 호텔의 화분에 심어진 종려나무 옆에 서서, 당신을 만난다는 기쁨에 계단을 뛰어올라오는 당신의 주군(主君)이 맨몸을 제대로 가리지도, 열린 데를 잠그지도 않았다는 사실을 확인하는 일은 매우 곤혹스러운 경험일 수도 있다는 말만 덧붙이고 얼른 이 이야기를 끝내야겠다.

아니, 이 계단을 뛰어올라오는 문제를 잠시 더 밀고 나가고 싶다—즉 어디로 향하게 될지 몰라도 큰 신경 쓰지 않고 맹목적으

---

* 저녁식사 전인 오후 4시에서 6시 사이의 칵테일 아워 중 가장 바쁜 시간.

로 밀고 나가고 싶다. 그는 계단만 만나면 반드시 뛰어올라왔다. 빠른 속도로. 나는 그가 다른 방식으로 계단을 올라가는 것을 본 적이 없다. 그것을 생각하니—나는 적절하다고 여기는데—생기, 정력, 활력이라는 주제까지 다가가게 된다. 요즘에는 누군가—특히 불안정한 항만노동자, 육군이나 해군에서 퇴역한 장교 몇 명, 자신의 이두박근 크기를 걱정하는 아주 많은 소년들은 예외일 수 있겠지만—옛날에 흔히 시인들을 향해 던지던 '유약하다'는 비난을 선뜻 인정하는 모습을 잘 상상할 수 없다(쉽게 상상되지 않는다는 뜻이다). 그럼에도 나는 일류 시의 최종 원고를 써내는 데는 정신 에너지나 무쇠 같은 에고뿐만 아니라 순전히 신체적인 스태미나도 아주 많이 필요하다고 주장할 각오가 되어 있다(특히 군대에 있거나 야외에서 활동하는 철저한 사나이들 가운데 다수가 나를 자기들이 좋아하는 이야기꾼으로 꼽고 있기 때문에). 슬프게도 훌륭한 시인은 자신의 몸을 지지리도 간수할 줄 모르는 사람이 되기 십상인데, 그래도 나는 보통의 경우에는 내가 애초에 아주 쓸 만한 몸을 가지고 나왔다고 믿는다. 형은 내가 아는 사람 가운데 흔히 말하는 지칠 줄 모르는 사람에 가장 가까웠다. (갑자기 시간을 의식하게 된다. 아직 자정은 아니지만, 바닥으로 내려가 누운 자세로 이 글을 쓸까 말까 생각하는 중이다.) 그러고 보니 시모어가 하품하는 것을 본 적이 없다는 게 생각난다.

물론 하기야 했겠지만 내가 본 적은 한 번도 없다는 것이다. 예절을 지키느라 안 보여준 것은 아니다. 우리 집은 하품을 못 하게 하는 까다로운 집이 아니었기 때문이다. 내가 자주 하품을 했다는 것은 잘 알고 있다—그리고 잠도 시모어보다 더 많이 잤다. 하지만 강조해서 말하거니와 우리는 어렸을 때부터 잠이 없었다. 특히 라디오에 나가던 시기의 중간쯤에 이르렀을 때는—즉 험하게 다룬 낡은 여권을 가지고 다니듯이 각자 엉덩이 주머니에 도서관 대출 카드를 적어도 세 장은 가지고 다니던 때에는—학기중에도 새벽 두세 시 이전에 우리 방 불이 꺼진 적은 거의 없었다. 다만 선임하사관 베시가 점호를 하러 다니면서 문을 톡톡 두드리면 그 엄격한 순간에는 잠깐 불을 꺼놓았다. 시모어는 열두 살 이후부터 뭔가에 미쳤을 때, 뭔가를 연구할 때는 이삼 일 밤을 꼬박 새울 수 있었고 또 실제로도 자주 그랬는데, 그렇게 해도 얼굴이나 목소리에 전혀 표가 나지 않았다. 수면 부족은 그의 혈액 순환에만 영향을 미치는 듯했다. 그의 손과 발이 차가워졌기 때문이다. 사흘째 밤을 새던 그가 하던 일에서 고개를 들고 나한테 혹시 무시무시한 외풍이 부는 느낌이 들지 않느냐고 물은 적이 적어도 한 번은 있었다. (우리 가족 누구에게도, 심지어 시모어에게도 외풍은 결코 단순한 외풍이 아니었다. 오직 무시무시한 외풍만 있을 뿐이었다.) 그는 의자나 바닥—어디든 그가 책을 읽거나 글을 쓰거나 생각을 하던 곳으로부터—에서 일어나 혹시 목욕탕 창문이 열려 있는지 확인하러 가기도 했다. 우리 아파트에서 나 외에 시모어가 잠을 무시하고 있을 때 그것을 알아내는 사람은 베시뿐이었다. 그녀는 시모어가 양말을 몇 켤레 신고 있는지를 보고 그것을 판단했다. 시모어가 짧은 바지를 졸업하고 긴 바지로 넘어간 뒤부터는 그의 바지 자락을 걷어올려 외풍 방지용으로 양말 두 켤레를 신고 있는지 아닌지 확인했다.

오늘 밤에는 내가 스스로 잠귀신을 불러야겠다. 잘 자라, 당신들 모두. 이 열받을 정도로 말이 없는 사람들아!

*

내 나이 또래에 나 정도의 수입이 있는 사람들 중에 매혹적인 반(半)일기 형식으로 죽은 형제에 대해 글을 쓰는 많은, 아주 많은 사람들은 구태여 날짜를 밝히거나 자기가 어디에 있는지 말해주려 한 적이 없다. 그들에겐 도대체 협조 감각이 없다. 그래서 나 자신은 그렇게 하지 않겠다고 맹세했다. 오늘은 목요일이고, 나는 나의 무시무시한 의자로 돌아와 있다.

새벽 한시 십오 분 전이다. 열시부터 여기에 앉아 시모어의 육

체가 페이지에 올라 있는 동안, 스포츠나 게임을 즐기지 않는 사람들을 지나치게 자극하지 않으면서 그를 운동선수이자 게임을 즐기는 사람으로 소개할 수 있는 방법을 궁리하고 있었다. 먼저 사과를 하지 않는 한 그 이야기를 시작할 수 없다는 생각이 드니 당혹스럽고 역겹다. 한 가지 이유는 이렇다. 내가 속해 있는 영문과에서는 공교롭게도 교수 가운데 적어도 두 명은 출판사의 현대 시인 명단에 오를 만한 시인이 되는 길을 향해 잘 나아가고 있고, 또 한 명은 이곳 학문적인 동해안 지방에서 엄청나게 세련된 문학 평론가로 활약하고 있는데, 그는 멜빌 전문가들 가운데는 우뚝한 인물로 꼽힌다. 이 세 명 모두(당신이 상상할 수 있을지도 모르지만, 내가 보기에는 그들에게도 큰 약점들이 있다) 프로농구 시즌이 절정에 이르면, 내가 보기에는 약간 지나치다 싶을 정도로 공공연히 텔레비전과 차가운 맥주 한 병을 향하여 쏜살같이 달려간다. 그러나 불행히도 이 담쟁이덩굴*로 덮인 작은 돌팔매질은 나 자신이 통유리로 지은 집에 살면서 남의 집 쪽으로 돌을 던지는 꼴이니 파괴력이 약간 떨어진다. 나 자신은 평생에 걸쳐 야구 팬이었으며, 내 두개골 안쪽에는 낡고 너덜너덜한 신문의 스포츠 섹션을 깔아놓은 새장 바닥 같은 구역이 있으리란 것을 의심하지

---

* 미국 동부 명문 대학들을 일컫는 '아이비 리그(ivy league)'를 빗댄 말.

않는다. 사실(나는 이런 것이 친밀한 작가-독자 관계에서는 피해야 할 말이라고 생각하지만), 내가 어렸을 때 육 년 이상을 계속 방송에 머물 수 있었던 이유 가운데 하나도 아마 내가 '라디오나라 사람들'에게 일 주일간 웨이너 형제*이 어떤 활약을 보였는지, 또 더욱 인상적인 것으로는 내가 두 살 때인 1921년에 코브가 3루를 몇 번 훔쳤는지를 말해줄 수 있었기 때문인 것 같다. 내가 지금도 이 문제에 대해 약간 민감하게 굴고 있나? 폴로 그라운즈의 3루 베이스 근처에 있던 나의 작은 자궁에 이르기 위해 어린 시절 3번 애비뉴의 고가철도를 타고 '현실'에서 달아나던 오후들과 내가 아직도 화해하지 못했단 말인가? 믿어지지 않는다. 어쩌면 내가 마흔이고, 지금이 모든 나이든 남자 작가들에게 야구장과 투우장을 떠나달라는 요청을 하기에 가장 좋은 때라고 생각한다는 것도 한 가지 이유일지 모르겠다. 아니다. 나는 알고 있다 — 맙소사, 나는 알고 있다. 왜 내가 '탐미주의자'를 '운동선수'로 제시하기를 이렇게 망설이는지. 이 생각은 아주 오랫동안 한 적이 없지만, 답은 이것이다. S와 내가 라디오에 있을 때 아주 똑똑하고 호감이 가는 남자아이가 있었다. 커티스 코필드라는 아이였는데, 그는 결국 태평양 어딘가의 상륙 작전에서 전사했다. 어느 날 오

---

* 미국의 형제 야구 선수.

후 그는 시모어, 나와 함께 종종걸음으로 센트럴 파크까지 갔다. 그곳에서 나는 그가 마치 왼손이 둘인 사람처럼 — 간단히 말해서 대부분의 여자처럼 — 공을 던진다는 것을 알았다. 내가 경멸하는 듯한 말 웃음소리, 종마 웃음소리를 냈을 때 시모어의 얼굴에 나타났던 표정이 지금도 기억난다. (이런 심층 분석에 대해 뭐라고 변명을 해야 할까? 내가 '상대편'으로 넘어간 것일까? 이제 나도 의사 간판을 내걸어야 할까?)

이 이야기는 끝내자. S는 실내든 야외든 상관없이 스포츠와 게임을 사랑했으며, 보통 눈부시게 잘하거나 눈부시게 못 하거나 둘 중 하나였다 — 중간은 거의 없었다. 몇 년 전 여동생 프래니는 "포장 달린 유모차"에 누워(아마 인판타*와 비슷한 자세였을 것이다) 시모어가 거실에서 누군가와 탁구를 치는 것을 본 것이 자신의 '가장 오래된 기억' 가운데 하나라고 말한 적이 있다. 프래니가 말하는 포장 달린 유모차는 사실 부 부가 그애를 태우고 다니던, 낡고 망가진 바퀴가 달린 아기 침대였을 것이다. 부 부는 문지방에 부딪히면 심하게 덜그럭거리는 아기 침대를 밀고 활동의 중심지를 찾아 아파트 전체를 돌아다니곤 했다. 하지만 프래니가 아기였을 때 시모어가 탁구치는 것을 구경했다는 것은 충분히 있

---

* 옛 스페인이나 포르투갈에서 어린 공주를 일컫던 말.

었을 법한 이야기이며, 그애가 기억하지 못하는, 아무런 색깔이 없어 보였던 탁구 상대자는 아마 나였을 것이다. 보통 나는 시모어와 탁구를 칠 때면 어지러워서 완전히 색깔을 잃고 말았다. 마치 '어머니 칼리'*가 네트 건너편에서 점수에는 아무런 관심 없이 여러 개의 팔을 휘두르며 싱긋 웃고 있는 것 같았다. 그저 강타하고, 깎아치고, 두세 번마다 한 번씩 마치 스매싱하기 좋은 높은 공이 온 것처럼 공을 쫓아갈 뿐이었다. 시모어의 강타 다섯 번 중 세 번은 네트에 맞거나 탁자에 닿지도 않고 멀리 날아가버렸기 때문에, 그와 탁구를 치다보면 서로 공을 주고받는 일은 거의 없었다. 그러나 탁구에 몰입한 그는 한 번도 이 사실에 관심을 가지지 않았다. 그러다가 그의 상대가 방 전체로, 의자, 긴의자, 피아노 밑으로, 책꽂이 뒤의 지저분한 곳으로 공을 찾으러 뛰어다니다 못해 악을 쓰며 불평을 할 때에야 깜짝 놀라며 비굴해 보일 정도로 사과를 했다.

그는 테니스를 칠 때도 똑같이 철저했고, 똑같이 지독했다. 우리는 자주 쳤다. 특히 내가 대학 4학년일 때 뉴욕에서 많이 쳤다. 그는 이미 내가 다니던 대학에서 가르치고 있었는데, 그 무렵 나는 특히 봄이면 날씨가 아주 좋은 날을 두려워할 때가 많았다. 그

---

* 인도 신화에서 시바 신의 부인.

런 날이면 어떤 학생이 오늘 날도 좋은데 나중에 테니스 좀 치는 게 어떠냐는 시모어의 메모를 들고 와서 어린 음유시인처럼 내 발 밑에 쓰러질 것이라는 직감이 왔기 때문이다. 나는 대학 코트에 서는 그와 치지 않았는데, 내 친구들 또는 그의 친구들, 특히 그의 수상쩍은 **콜레겐**[*] 가운데 누군가 그의 테니스치는 모습을 볼까 두려웠기 때문이다. 그래서 우리는 보통 96번가에 있는 립스 코트로 갔는데, 그곳은 전부터 우리가 자주 가던 곳이었다. 내가 고안해냈던 가장 무능한 책략 가운데 하나는 일부러 테니스 라켓과 운동화를 캠퍼스의 사물함에 두지 않고 집에 두는 것이었다. 여기에는 작기는 하지만 한 가지 장점이 있었다. 코트에서 시모어를 만나러 가기 위해 옷을 갈아 입는 동안 흔히 약간의 동정을 받을 수 있었다는 것인데, 내 누이나 남동생들은 동정심 어린 표정으로 우르르 현관문으로 몰려나와 함께 엘리베이터를 기다려주곤 했다.

그는 모든 카드 게임─고 피시, 포커, 카지노, 하츠, 올드 메이드, 옥션이나 컨트랙트, 슬랩잭, 블랙잭 등─에서 예외 없이 도저히 참기 힘든 상대였다. 그나마 고 피시 게임은 그런대로 봐줄 만했다. 그는 쌍둥이가 어릴 때 그들과 게임을 하곤 했는데, 아이

---

[*] Kollegen. '동료들'을 뜻하는 독일어.

들이 계속 그에게 4나 잭이 있느냐고 물어보도록 힌트를 주었으며, 아니면 기침을 하는 척하면서 교묘하게 자기 패를 보여주었다. 그는 포커에서도 각광을 받았다. 나는 십대 후반의 짧은 기간에 안 될 줄 뻔히 알면서도 교제를 잘하는 사람으로, 평범한 사람으로 변하기 위해 반쯤은 드러내지 않고 열심히 노력했는데, 그 와중에 자주 사람들을 불러들여 포커를 치곤 했다. 시모어도 자주 함께 게임을 했다. 그가 에이스를 들고 있다는 것을 모르려면 약간의 노력이 필요했다. 그가 마치 누이의 표현을 빌리자면, 바구니 하나 가득 달걀을 들고 있는 '부활절 토끼'처럼 싱글거렸기 때문이었다. 더 큰 문제는 스트레이트나 풀하우스, 또는 그것보다 더 좋은 패를 들고도, 탁자 건너편에서 10원페어를 들고 앉아 있는 사람이 자기가 좋아하는 사람이면 베팅을 하기는커녕 콜도 하지 않았다는 것이다.

그는 야외 스포츠 다섯 가지 가운데 네 가지에서는 초보자 수준이었다. 초등학교에 다니던 시절, 우리는 110번가와 리버사이드 드라이브가 만나는 곳에서 살았는데, 그곳에서는 보통 오후면 두 팀으로 나뉘어 시합이 벌어졌다. 이면도로에서 막대기와 고무공으로 야구를 하거나 롤러스케이트를 타고 하키를 하기도 했지만, 리버사이드 드라이브에 있는 코슈트* 동상 근처의 상당한 크기의 개 사육장 잔디밭에서 풋볼이나 축구를 하는 경우가 많았다. 축구나 하키를 하게 되면 시모어는 나름의 방식으로—종종 아주 멋지게—상대편 진영까지 돌격하지만, 그런 뒤에는 주춤하여 상대편 골키퍼가 난공불락의 자세를 잡을 여유를 줌으로써 같은 편 선수들의 미움을 받곤 했다. 풋볼은 거의 하지 않았는데, 어느 한 팀에 사람이 딱 하나 부족할 때가 아니면 절대로 하지 않았다고도 할 수 있다. 반면 나는 늘 풋볼을 했다. 나는 폭력을 싫어하지 않았고, 대체로 폭력을 죽어라고 무서워하기만 했을 뿐이므로 사실상 풋볼을 하는 것 외에 선택의 여지가 없었다. 나는 심지어 그 염병할 시합을 조직하기까지 했다. 아주 예외적이었지만 S가 풋볼 시합에 참가했을 때는 그가 팀 동료들에게 자산이 될지 아니면 빚이 될지 미리 알 도리가 없었다. 자기 편을 뽑을 때 보통 그는 가장 먼저 선택되는 선수였다. 그는 엉덩이를 흔들며 뱀처럼 구불구불 잘 달렸을 뿐 아니라, 공을 전달하는 능력을 타고났기 때문이다. 그가 미드필드에서 공을 가지고 있을 때 갑자기 다가오며 태클을 하는 선수에게 마음을 빼앗기지만 않는다면, 그는 소속 편의 분명한 자산이었다. 하지만 내가 말한 대로 그가 도움이 될지 아니면 방해가 될지는 절대 미리 알 수 없었다. 한번은 우리 편 선수들이 투덜거리면서도 나에게 공을 들고 상대편 엔드**를 우회하여

---

* 헝가리의 정치가(1802~1894).

** 풋볼의 전위 양끝의 선수.

전진을 해보라고 허락해준 아주 드물고 기분 좋은 순간, 상대편에 속해 있던 시모어는 내가 그쪽으로 돌격하자 나를 보고 아주 즐거운 표정을 지어 나를 혼란에 빠뜨렸다. 신의 섭리에 의해 예기치 않게 엄청난 기회와 마주친 사람의 표정이었다. 순간 나는 거의 완전히 정지했으며, 그 다음에는 물론 누군가, 우리 동네에서 흔히 말하던 대로 1톤의 벽돌 무더기를 쓰러뜨리듯이 나를 쓰러뜨렸다.

이 이야기를 너무 오래 하고 있다는 것은 나도 잘 알고 있다. 하지만 지금은 정말 멈출 수가 없다. 앞서 말했듯이, 그는 어떤 게임은 눈부시게 잘하기도 했다. 사실 용서할 수 없을 정도로 잘했다. 즉 게임이나 스포츠에서 뛰어난 것에는 어떤 한계가 있어, 비정통적인 상대, 무조건 "나쁜 놈"—'형체 없는 나쁜 놈' '잘난 체하는 나쁜 놈' 아니면 그냥 평범한 백 퍼센트 미국인인 나쁜 놈—이 한계를 넘을 정도로 뛰어난 것을 보면 기분이 나빠진다는 것이다. 물론 여기에는 우리와 맞서서 싸구려나 열등한 장비로 큰 승리를 거두는 누군가로부터, 쓸데없이 행복하고 선량한 얼굴로 승리를 거두는 상대편 선수에 이르기까지 많은 사람들이 포함된다. 시모어가 게임에서 아주 뛰어났을 때 그의 죄는 딱 한 가지, '무정형'이라는 것이었는데, 사실 이것은 중요한 범죄였다. 나는 특히 세 가지 게임을 염두에 두고 있다. 스툽볼, 커브 마블스, 포켓 풀.

(당구에 대해서는 다음에 다시 이야기해야 할 것이다. 그것은 우리에게 단지 게임이 아니라, 신교도 종교개혁에 가까웠다. 우리는 어른이 되어가면서 중대한 시점에 이를 때마다 거의 언제나 그 전후에 당구를 쳤다.) 시골에 사는 독자들이 혹시 모를까봐 이야기하지만, 스툽볼은 적갈색의 사암 층계나 아파트 건물 앞면의 도움을 받아서 하는 공놀이다. 우선 고무공을 우리 아파트 앞면을 따라 놓인 화강암으로 만든 건축학적 수예품 — 맨해튼에서 인기 있었던 그리스 이오니아 식과 로마 코린트 식을 혼합한 몰딩이었다 — 을 향하여 허리 높이쯤 던진다. 만일 그 공이 튀어서 공중을 나는 도중에 상대편에게 잡히지 않고 거리로 나가거나 건너편 보도에 닿으면, 그 공은 야구에서처럼 내야 안타로 처리된다. 만일 잡히면 — 잡히는 경우가 많았는데 — 선수는 아웃당한다. 공이 세게 높이 날아가서 건너편 벽을 맞히되, 벽을 맞히고 튄 공이 잡히지 않으면 홈런으로 기록된다. 우리가 놀던 시절에는 아주 많은 공들이 공중을 날아 반대편 벽에 닿았으나, 상대편의 손에 잡히지 않을 만큼 빠르고, 낮고, 까다로운 경우는 거의 없었다. 그러나 시모어는 타석에 들어설 때마다 거의 언제나 홈런을 기록했다. 다른 동네 애들이 1점을 기록하면 그것은 대체로 요행으로 여겨졌지만 — 어느 팀에 속했느냐에 따라 즐거운 요행일 수도 있고 불쾌한 요행일 수도 있었다 — 시모어의 경우에는 홈런을 치지 못

하는 것이 요행처럼 보였다. 더 특이했던 것, 그리고 이 이야기와도 더 관련이 있는 것은 그가 동네 어느 누구와도 다른 방법으로 공을 던졌다는 것이다. 우리는 오른손잡이일 경우—그 역시 오른손잡이였다 — 공을 맞혀야 할 물결 무늬가 있는 부분을 바라보며 왼쪽으로 약간 떨어진 곳에 서서 사이드암 동작으로 힘차게 공을 던졌다. 그러나 시모어는 맞혀야 할 부분을 정면으로 마주보고 그곳을 향해 공을 똑바로 내리꽂았다 —탁구나 테니스라면 볼품없었을 뿐만 아니라, 성공하기도 끔찍하게 힘든 그의 오버핸드 스매시와 아주 흡사한 동작이었다. 그러면 공은 튀어서 붕 소리를 내며 머리를 약간 숙여 피할 여유만 주고 그의 머리 위를 지나, 말하자면 곧장 외야석으로 날아갔다. 다른 사람들이 그와 같은 방법을 해보려 하면(혼자 해보든, 아니면 그의 대단히 열정적인 개인 지도를 받아서 해보든), 쉽게 아웃이 되든가 아니면 (염병할) 공이 튀어나오면서 얼굴을 때리든가 했다. 어쨌든 우리 동네 누구도 그와 스툽볼을 하려 하지 않게 되었다 —나조차도. 그래서 그는 그 게임의 훌륭한 점들을 우리 누이들 가운데 누군가에게 설명하거나, 아니면 스툽볼을 혼자 할 수 있는 아주 효과적인 게임으로 바꾸어 놀면서 시간을 보내는 일이 자주 생기게 되었다. 스툽볼을 혼자 할 때는 건너편 건물의 벽을 맞고 튀기는 공을 발을 바꾸지 않고도 잡을 수 있도록 똑바로 던지는 것이 중요했다. (그래, 그래, 나는 지금 이 이야기를 염병할 정도로 너무 길게 하고 있다. 하지만 거의 삼십 년이 흐른 지금 이 이야기 모두가 나에게는 너무나 매혹적이다.)

그는 커브 마블스에서도 아주 뛰어났다. 커브 마블스에서는 처음 나서는 선수가 자신의 구슬, 즉 공을 차가 주차해 있지 않은 이면도로 가장자리를 따라 6미터에서 8미터 정도 굴리거나 던진다. 구슬은 연석에 바짝 붙어서 가야 한다. 그러면 둘째 선수가 첫째 선수와 똑같은 지점에서 자신의 구슬을 던져 앞의 구슬을 맞힌다. 그러나 쉽지는 않은 것이, 구슬은 가다가 아주 작은 것에라도 닿기만 하면 목표물을 벗어나 다른 방향으로 꺾이기 때문이다. 도로가 평탄하지 않아도, 연석에 부딪히며 잘못 튀어도, 바닥에 껌이 붙어 있어도, 보통 뉴욕의 이면도로에 떨어져 있는 백여 가지 쓰레기 가운데 어느 하나에 부딪혀도 그렇게 되었다. 물론 단순히 겨냥을 잘못해서 못 맞히는 경우가 가장 많았던 것은 말할 필요도 없다. 만일 둘째 선수가 첫째 구슬을 맞히지 못하면, 첫째 선수가 다시 둘째 선수의 구슬을 맞히게 되는데, 이 경우 둘째 선수의 구슬은 보통 아주 가까운 위치에 만만하게 멈추어 있게 마련이다. 이 게임에서는 백 번 가운데 여든 번이나 아흔 번은 시모어가 이겼는데, 먼저 던지든 나중에 던지든 관계없었다. 시모어가 멀리 던지면 그의 구슬은 마치 볼링을 할 때 공이 오른쪽의 파울

선을 스칠 듯이 굴러가듯, 상대편 구슬을 향해 긴 호를 그리며 다가간다. 이 경우에도 그의 발 위치, 구슬을 던지는 자세는 약이 오를 정도로 불규칙했다. 구슬을 멀리 던질 때 동네의 다른 모든 사람들은 언더핸드로 던지는 반면, 시모어는 사이드암으로 던졌다. 아니, 웅덩이에서 납작한 돌로 물수제비를 뜨듯이 사이드리스트로 손목을 꺾어 던졌다고 하는 편이 낫겠다. 이 경우에도 다른 사람이 그의 동작을 흉내냈다가는 결과가 끔찍했다. 그의 방식대로 던지게 되면 구슬을 통제할 가능성은 **완전히** 사라져버렸기 때문이다.

나는 마음 한구석에서 천박하게도 바로 다음에 나올 이야기를 기다리고 있었던 것 같다. 사실 아주 오랜 세월 동안 이 생각은 한 적이 없다.

어느 날 오후, 뉴욕의 가로등이 막 켜지고 차들의 주차등이 막 켜지기 시작하는—일부는 켜지고 일부는 아직 켜지지 않은—그 왠지 감상적인 15분 동안, 나는 아이러 얀카우어라는 이름의 아이와 커브 마블스를 하고 있었다. 우리가 사는 아파트 건물의 캔버스 천막 바로 맞은편에 있는 이면도로의 먼 쪽 가장자리였다. 나는 여덟 살이었다. 나는 시모어의 기술—옆으로 손목을 꺾어 던지는 기술, 다른 아이의 구슬을 향하여 내 구슬이 넓게 호를 그리며 다가가게 만드는 기술—을 이용하고 있었다, 아니, 그렇게 하려 노력하고 있었다. 그러나 나는 계속 지고 있었다. 계속 지기는 했지만, 고통스럽지는 않았다. 당시는 뉴욕 시의 아이들이 멀리 기적 소리를 들으며 마지막 소를 축사로 들여보내는 오하이오 주 티핀의 아이들과 다를 바가 없던 시절이었기 때문이다. 그 마법의 십 오 분 동안은 구슬치기 놀이에서 지면, 그냥 구슬치기 놀이에서 지는 것일 뿐이었다. 아이러 역시 시간 정지상태에 제대로 걸려들었던 것 같고, 그랬다면 그가 따고 있는 것 역시 그저 구슬일 뿐이었으리라. 이 고요함으로부터 그것과 완벽한 조화를 이루어, 시모어가 나를 불렀다. 우주에 제3의 인물이 있다는 것이 유쾌한 충격으로 다가왔으며, 이런 느낌에다 그것이 시모어라는 정당성이 덧붙여졌다. 나는 몸을 돌렸다, 완전히. 아이러도 틀림없이 그렇게 했을 것이다. 우리 집 건물의 천막 밑에서는 구근 모양의 밝은 빛들이 막 밝혀져 있었다. 시모어는 두 손을 양가죽 안감을 댄 외투의 옆주머니에 찔러넣고, 발바닥을 오므려 그것으로 균형을 잡고 선 채, 천막 앞의 연석 가장자리에서 우리를 마주보고 있었다. 천막 불빛들이 뒤에 있었기 때문에 그의 얼굴에는 그늘이 지고 침침해져 있었다. 그는 열 살이었다. 그가 연석 가장자리에서 균형을 잡고 있는 방식으로 볼 때, 그의 손들의 위치로 볼 때, 또—그래, X라는 미지의 양으로 볼 때, 나는 지금과 마찬가지로 당시 시모어 역시 하루중에 그 마법의 시간을 엄청나게 의식하고 있음을 알 수 있었다.

"너무 열심히 겨냥하지 않으면 좋겠는데."

그는 그곳에 선 채로 나에게 말했다.

"겨냥해서 맞힌다 해도, 그것은 단지 운일 뿐이야."

그는 말을 하고 있었다. 의사를 전달하고 있었다. 그러면서도 주문을 깨지는 않았다. 주문은 내가 깼다. 아주 의도적으로.

"겨냥을 하는데 그게 어떻게 운일 수가 있어?"

나는 그에게 대꾸했다. 큰 소리는 아니었지만(글에서는 강조를 했음에도) 목소리에는 내가 실제로 느끼는 것 이상의 짜증이 담겨 있었다. 그는 잠시 아무 말도 없이 연석 위에 균형을 잡고 선 채 사랑으로—당시에는 완전하게 알지 못했지만—나를 보고 있었다.

"겨냥을 해도 운이야. 너는 그애의 구슬, 아이러의 구슬을 맞히면 기쁘겠지, 그렇지? 기쁘지 않겠어? 네가 누군가의 구슬을 맞혀서 기쁘다면, 그것은 내심 그렇게 되기를 크게 기대하지는 않았다는 뜻이지. 따라서 거기에는 운이 있어야 해, 상당히 많은 우연이 있어야 한다는 거지."

그는 두 손을 여전히 외투의 옆주머니에 꽂은 채 연석에서 밑으로 내려서더니, 우리에게 다가왔다. 그러나 생각중인 시모어는 어스름녘의 거리를 빠르게 건너지는 않았다. 어쨌든 빠르게 건너는 것처럼 보이지 않았던 것은 분명하다. 그 빛 속에서 그는 마치 범선처럼 우리에게 다가왔다. 그러나 자존심은 이 세상에서 가장 빠르게 움직이는 것이라, 그가 우리에게서 다섯 걸음 떨어진 곳까지 다가오기 전에 나는 서둘러 아이러에게 "어차피 깜깜해지고 있잖아" 하고 말함으로써 사실상 시합을 끝냈다.

이 마지막의 작은 펜티멘토* — 뭐라고 부르건 — 때문에 나는 문자 그대로 머리부터 발끝까지 땀이 나기 시작했다. 담배를 피우고 싶은데 다 떨어졌다. 그렇다고 이 의자를 떠나고 싶지도 않다. 오, 맙소사, 이 무슨 고귀한 직업이란 말이냐. 내가 독자를 얼마나 잘 아는가? 내가 우리 중 그 어느 쪽에게도 불필요한 당혹감을 주지 않고 얼마나 많은 말을 할 수 있을까? 이 말은 할 수 있다. 우리 각자 마음속에 우리 자신을 위한 어떤 자리가 준비되어 있다는 것. 일 분 전까지 나는 평생 동안 내 자리를 네 번 보았다. 이번이 다섯번째다. 바닥에 몸을 쭉 뻗고 삼십 분 정도 누워 있어야겠다. 실례 좀 하겠다.

---

* 그림을 그리는 중에 변경이 생겨 밑그림이 다소 드러나는 일.

266

*

    이런 말을 하자니 정말이지 연극 광고 전단지를 쓰는 느낌이지만, 마지막에 그런 극적인 문단을 썼으니 내가 자초한 일이라는 생각도 든다. 시간은 세 시간 뒤이다. 나는 바닥에서 잠이 들었다. (이제 나는 다시 나 자신으로 돌아왔다오, 친애하는 남작부인이여. 참 나, 도대체 나를 어떻게 생각했단 말이오? 간청하오니, 구미가 당길 만한 포도주를 한 병 가져오라 청하게 해주시오. 그것은 내 작은 포도밭에서 난 거라오. 내 생각에는 그대가 혹시나⋯⋯) 나는 가능한 한 활기차게, 세 시간 전에 지면에서 '소요'가 일어난 원인이 정확히 무엇이건 간에, 내가 자신의 거의 완벽한 기억 능력(나의 작은 능력이라오, 친애하는 남작부인이여)에 조금도 취하지 않았고, 지금도 취한 상태가 아니며, 한 번도 취한 적이 없음을 밝히고 싶다. 내가 난파를 당하여 물을 뚝뚝 흘리는 초라한 파편이 되었던 그 순간, 아니 나 자신을 그렇게 만들었던 순간, 나는 딱히 시모어가 말한 것을 염두에 두고 있었던 것은 아니다. 또 시모어 자신을 염두에 두고 있었던 것도 아니다. 기본적으로 나에게 충격을 주었던 것, 나를 무력하게 만들었던 것은 내 생각에는, 시모어가 나의 다베가 자전거라는 갑작스러운 깨달음이었던 것 같다. 나는 평생의 대부분 동안 다베가 자전거를 남에게 주어버릴 마음—거기에 요구되는 마무리 행동은 말할 것도 없고─이 나에게 약간이라도 생겨나기를 기다려왔다. 물론 얼른 설명을 덧붙이겠다.

시모어와 내가 열다섯 살, 열세 살 때, 우리는 어느 날 밤 라디오를 들으려고─아마 〈스툽네이글과 버드〉를 들으려 했을 것이다─방에서 나와, 거실의 커다란, 그러나 불길할 정도로 고요한 흥분 속으로 걸어들어갔다. 그곳에는 세 사람밖에 없었다. 우리 아버지, 우리 어머니, 그리고 우리 동생 웨이커. 그러나 다른 어린 가족들이 각각 어딘가 자신에게 유리한 위치에 숨어서 엿듣고 있었다는 생각이 든다. 레스는 약간 무시무시하게 얼굴을 붉히고 있었고, 베시는 입을 꽉 다물고 있어 입술이 거의 보이지 않을 정도였으며, 우리 동생 웨이커─그 순간, 내 계산에 따르면 거의 정확하게 구 년 열네 시간의 나이를 먹었을 것이다─는 파자마를 입은 채 맨발로 피아노 옆에 서 있었는데, 얼굴에서는 눈물이 주르르 흘러내리고 있었다. 그런 종류의 가족 상황에서 내가 느끼게 되는 최초의 충동은 산으로 달아나 잠적하는 것이었지만, 시모어는 전혀 떠날 채비가 된 것 같지 않았기 때문에 나도 그냥 그 자리에 서 있었다. 곧 레스는 완전히 억누를 수가 없어 열이 계속 뻗쳐 나오는 상태에서 기소를 위해 시모어를 앞에 두고 사건 내용을 진술했다. 그날 아침, 우리가 이미 알고 있었듯이 웨이커와 월트는 예산을 엄청나게 초과하는 아름다운 생일 선물을 한 쌍 받았다. 빨간 바탕에 하얀 줄무늬가 있는, 이중 바를 댄 26인치짜리 자전거 두 대였다. 렉싱턴 가와 3번가가 만나는 86번지의 다베가 운동구점 진열장에 전시되어 있던 바로 그 자전거들로, 웨이커와 월트가 일 년의 대부분간 열심히 눈독을 들이던 물건들이었다. 시모어와 내가 방에서 나오기 십 분 전쯤, 레스는 우리 아파트 건물의 지하실에 월트의 자전거는 보관되어 있는데, 웨이커의 것은 없다는 사실을 알았다. 그날 오후, 센트럴 파크에서 웨이커는 자기 자전거를 남에게 주어버렸다. 알지 못하는 남자애("평생 본 적이 없는 어떤 얼간이")가 웨이커에게 다가오더니 자전거를 달라고 했고, 웨이커는 자전거를 건네주었다. 물론 레스도 베시도 웨이커의 "아주 착하고 너그러운 의도"를 생각하지 못하는 것은 아니었으나, 둘 다 그들 나름의 무자비한 논리로 이 거래의 세목들을 따지고 있었다. 요컨대 그들이 보기에 웨이커가 마땅히 했어야 하는 일은—레스는 이제 시모어를 위해 매우 힘을 주어 이 이야기를 되풀이하고 있었다—그 아이가 오랫동안 마음껏 자전거를 타게 해주는 것이었다. 그러자 웨이커가 흐느끼며 끼어들었다. 그 아이는 오랫동안 마음껏 자전거를 태워주는 것을 원하는 게 아니었어요, 그애는 자전거를 원했어요. 한 번도 자전거가 없었대요, 그애는요. 늘 갖고 싶었대요. 나는 시모어를 보았다. 그는 흥분하고 있었다. 이런 종류의 어려운 분쟁을 중재하고 싶은 마음은 있

지만 영 서툴다는 표정이 나타나고 있었다 — 순간 나는 경험으로
볼 때 기적 같아 보이는 일이기는 했지만, 우리 거실의 평화가 곧
복구될 것임을 알 수 있었다. ("현자는 어떤 일을 할 때 불안과 망
설임으로 가득하기 때문에 늘 성공을 거둔다" —『장자』26편.)*
시모어는 사태의 핵심으로 유능하게 머뭇머뭇 들어갔고 — 이를
표현할 더 나은 방법이 틀림없이 있겠지만 무엇인지 모르겠다 —
그래서 몇 분 뒤에는 세 교전 당사자가 실제로 입을 맞추고 화해
를 했는데, 이 과정에 대해서는 자세히 묘사하지 않겠다(이번만
은). 내가 여기서 진짜 하고자 하는 말은 뻔뻔스럽게도 개인적인
것인데, 그 말은 이미 한 것 같다.

　1927년의 그날 저녁 커브 마블스를 할 때 시모어가 건너편에서
나에게 소리쳤던 것 — 아니, 나에게 지시를 했던 것 — 은 도움이
되기도 하고 중요하기도 한 것 같으니, 그 점에 대해 약간은 이야
기를 해야만 할 것 같다. 약간 충격적으로 들릴지는 몰라도, 이렇
게 시간이 흐르고 난 뒤에 보면 시모어의 실없는 동생이 나이 마
흔에 이제 마침내 남에게, 되도록이면 맨 먼저 달라는 사람에게
줄 수 있는 자신만의 다베가 자전거를 선사받았다는 사실보다 더
도움이 되고 더 중요한 일은 없는 것 같기는 하지만. 빈약하고 개

인적이기는 하지만 그래도 멋져 보이는 하나의 유사 형이상학적인 문제로부터, 비록 튼실하고 비개인적인 것이라 하더라도, 다른 유사 형이상학적인 문제로 넘어가는 것이 정말 옳은 일인지 나도 모르게 궁금해진다. 깊이 생각을 하게 된다. 그러니까 먼저 익숙한 수다스러운 스타일로 약간 뭉기적거리지도, 빈둥거리지도 않고 말이다.

어쨌든 이제 시작한다. 그가 길 건너 연석으로부터 내게 구슬로 아이러 얀카우어의 구슬을 겨냥하지 말라고 지시했을 때 — 잊지 마라, 그는 열 살이었다 — 나는 그가 본능적으로 일본의 활의 달인이 새로 들어온 제멋대로인 제자에게 화살로 과녁을 겨냥하지 말라고 지시했던 것과 정신적으로 매우 가까운 무언가에 도달했다고 믿는다. 그 활의 달인이 말하자면, '겨냥하는 것' 은 허락하지만 겨냥은 허락하지 않았을 때 말이다. 하지만 선(禪)의 궁술이나 선 자체에 대한 논의는 이 작은 논문에서는 빼는 게 좋겠다. 물론 그 한 가지 이유는 분별할 줄 아는 귀에는 선이 빠른 속도로 오염된 유행어가 되어가고 있다는 것인데, 이것은 피상적이기는 하지만 매우 정당한 이유라 할 수 있다. (여기서 피상적이라고 한 것은 순수한 선은 틀림없이 서구의 옹호자들보다 오래갈 것이기 때문인데, 서구의 옹호자들은 흔히 거의 교리에 가까운 '해탈' 을 정신적 무관심, 심지어 냉담과 혼동하는 것 같다. 또한 그들은 먼저 황금 주먹을 키우지도 않고 망설임 없이 붓다를 쓰러뜨리는 것부터 시도하고 있음이 분명하다. 순수한 선은, 덧붙여둘 필요가 있어서 말하는데 — 정말 덧붙여둘 필요가 있다고 생각한다, 내가 진행하는 속도로 — 순수한 선은 나 같은 속물들이 떠난 뒤에도 이곳에 남아 있을 것이다.) 그러나 대체로 나는 시모어의 커브 마블스에 대한 조언을 선의 궁술과 비교하고 싶지는 않은데, 그것은 단지 내가 선의 궁사도 선승도 아니고, 하물며 선에 정통한 사람도 아니기 때문이다. (시모어와 내가 동양 철학에 내린 뿌리 — 망설여지기는 하지만 그것을 뿌리라고 불러도 좋다면 — 는 예나 지금이나 신약과 구약, 일원론적 브라만교, 고대 도교에 닿아 있다고 말한다면 이상할까? 나는, 아름다운 느낌이 드는 동양의 이름을 사용해도 좋다면, 나 자신을 지나나 요가*가 양념처럼 약간 섞인 제4계급의 카르마 요긴**으로 보는 경향이 있다. 나는 고전적인 선 문헌에 깊이 끌리고 있고, 일 주일에 하룻밤은 뻔뻔스럽게도 대학에서 선에 대해, 그리고 대승 불교 문헌에 대해 강의하지만, 내 삶 자체는 현재 이보다 덜 선적인 상태를 상상할 수 없을 정도인데, 내가 선의 경험에 대해 그나마 파악할 — 신중하게 고른 동사이다 — 수 있었던 것은 나 자신의 본성에 따라 극단적으

---

* 인도 철학에서 철학적 지식을 통한 단련을 일컫는 말.

** 이타적 봉사를 업으로 삼는 요가 수행자.

로 비(非)선적인 길을 걸어온 것의 부산물이라 할 수 있다. 시모어 자신이 내가 그렇게 하기를 문자 그대로 애원했기 때문인데, 나는 이런 문제에서는 그가 틀리는 것을 본 적이 없다.)

나로서는 다행히도, 그리고 어쩌면 모두에게도 다행일 터인데, 여기에 선을 끌어들이는 것이 사실 필요하다고 생각하지 않는다. 시모어가 순전한 직관으로 나에게 권했던 구슬치기 방법은 예컨대 담배꽁초를 방 건너편의 작은 쓰레기통에 퉁겨넣는 멋진 기술과 관련 — 충분히 정당하고 또 비(非)동양적인 관련이라고 할 수 있다 — 이 있을 수도 있다. 내가 보기에 대부분의 남자 흡연자들은 이 기술의 진정한 달인인데, 다만 꽁초를 던지면서 그것이 쓰레기통에 들어갈지 안 들어갈지 전혀 관심이 없거나, 아니면 방에 목격자 — 말하자면 담배꽁초를 퉁기는 사람 자신을 포함하여 — 가 하나도 없어야 한다는 조건이 붙는다. 이것은 생각해보니 즐거운 예이지만, 여기서 이 예를 가지고 너무 떠들어대지는 않겠다. 다만 잠시 커브 마블스로 돌아가 한 가지만 덧붙이는 것이 좋겠다. 시모어 자신은 구슬을 던진 뒤에 유리와 유리가 부딪치는 딱 하는 응답 소리를 듣고 얼굴 가득 웃음을 짓곤 했는데, 그 딱 하는 소리가 누구에게 승리를 안겨주는 소리인지는 한 번도 생각했던 적이 없는 것 같다. 실제로 거의 언제나 그가 딴 구슬은 다른 아이가 집어서 그에게 건네주어야만 했다.

고맙게도 이것으로 끝이다. 내가 이 이야기를 의뢰하지 않았다는 것만은 장담할 수 있다.

지금부터 하는 이야기가 "신체에 대한" 나의 마지막 기록이 될 것 같다, 아니, 확실하다. 적당히 재미있게 하자. 잠자리에 들기 전에 환기를 하고 싶다.

이것은 '일화'이지만, 에잇, 숨기지 말고 털어놓자. 아홉 살 때쯤 나는 내가 '세상에서 가장 빠른 소년 달리기 선수'라는 아주 유쾌한 생각을 한 적이 있다. 덧붙이고 싶은 말은 그것이 묘한, 기본적으로는 내 한계를 넘어선 자만이지만 쉽게 사라지지 않으며, 심지어 현재 마흔 살이 되어 늘 앉아서 생활하면서도 외출복 차림으로, 숨을 헐떡거리는 유명한 올림픽 육상 선수들을 빠르게 추월해 가며 그들에게 생색을 내는 기색 없이 상냥하게 손을 흔들어 주는 내 모습을 상상한다는 것이다. 어쨌든 우리가 여전히 리버사이드 드라이브에 살고 있던 어느 아름다운 봄날 저녁, 베시는 나에게 잡화점에 가서 아이스크림 2쿼트를 사오라고 했다. 나는 몇 문단 전에 묘사했던 그 똑같은 마법의 십오 분 동안에 건물을 나왔다. 이 일화의 구성에 또 한 가지 결정적이었던 것은 내가 운동화를 신고 있었다는 것인데, '세계에서 가장 빠른 소년 달리기 선수'에게 운동화란 한스 크리스티안 안데르센의 어린 소녀에게는 빨간 구두와 거의 똑같은 것이었다. 나는 건물에서 나오자 바로 머큐리*가 되어 브로드웨이까지 긴 블록을 "멋지게" 전력 질주해나갔다. 나는 브로드웨이의 모퉁이를 단숨에 돌아 계속 달려나가면서 불가능한 일을 하고 있었다. 속도를 높였던 것이다. 베시의 변함없는 선택인 루이스 셰리 아이스크림을 파는 잡화점은 북쪽으로 세 블록 떨어진 113번가에 있었다. 반쯤 갔을 때 나는 우리가 신문이나 잡지를 사곤 하는 문구점을 빠르게 지나쳤는데, 눈을 감은 것이나 마찬가지였기 때문에 근처에서 아는 사람이나 친척을 보지 못했다. 이어 한 블록쯤 더 올라갔을 때, 뒤에서 쫓아오는 소리, 그냥 발로 뛰어서 쫓아오는 소리가 들렸다. 내 머릿속에 첫째로 떠오른 생각은 아마 전형적인 뉴욕 사람 생각일지도 모르지만, 경찰이 나를 쫓아온다는 것이었다 — 혐의는 '학교 지역 외 거리에서 속도 기록을 깼다' 겠지. 나는 내 몸에서 속도를 조금 더 끌어내려 했으나 소용이 없었다. 나는 손 하나가 나를 향해 뻗쳐와 내 스웨터의 승리 팀 선수의 기장을 붙여야 하는 곳을 잡는 것을 느꼈다. 나는 겁을 집어먹고 알바트로스가 멈추듯이 어색하게 갑자기 속도를 줄었다. 물론 나를 쫓아온 사람은 시모어였는데, 시모어 자신도 무척이나 심하게 겁을 먹은 표정이었다.

"무슨 일이야. 무슨 일이 생긴 거야?"

---

* 로마 신화에서 사자(使者) 노릇을 하는 신.

그가 미친 듯이 물었다. 그는 내 스웨터를 붙잡은 손을 놓지 않았다. 나는 몸을 비틀어 그의 손을 털어내면서, 여기서 말 그대로 옮기지는 않겠지만 어쨌든 우리 동네에서 흔히 사용하던 약간 외설적인 관용구를 섞어 큰 소리로 아무 일도 없었다고, 아무 문제도 없다고, 나는 그냥 달리고 있을 뿐이라고 말했다. 그의 안도감은 엄청났다.

"참 나, 깜짝 놀랐잖아!"

그가 말했다.

"우아, 대단한 속도더라! 널 못 따라잡는 줄 알았어!"

이어 우리는 잡화점까지 함께 걸어갔다. 어쩌면 이상한 일일 수도 있고, 어쩌면 전혀 이상한 일이 아닐 수도 있지만 이제 '세계에서 두번째로 빠른 소년 달리기 선수'의 사기는 그다지 떨어지지 않았다. 우선 나를 앞지른 사람이 시모어였다는 점이 중요했다. 게다가 나는 그가 심하게 숨을 헐떡이는 것을 보느라 딴생각을 할 틈이 없었다. 그가 숨을 헐떡인다는 것이 묘하게 위로가 되었다.

이것으로 끝을 내겠다. 아니, 이 이야기가 나를 끝내는 것이라고 해야겠지. 근본적으로 나의 마음은 어떤 종류든 마무리에서 늘 머뭇거린다. 옛 체호프를 괴롭히던 잔소리, 즉 서머싯 몸이 '시작' '중간' '끝'이라고 부르던 그것이 있다는 이유만으로 찢어버린 이야기가 어렸을 때 이후로 몇 편이던가? 35편? 50편? 내가 스무 살 무렵부터 극장 출입을 중단한 데는 수많은 이유가 있는데, 단지 어느 극작가가 멍청한 막을 영원히 쾅 내려버렸다는 이유로 극장에서 줄지어 빠져나오는 것이 지긋지긋하게 싫었다는 것도 그 가운데 하나이다. (그 억세고 따분한 포틴브라스*는 어떻게 되었을까? 결국 누가 그를 혼내주었을까?) 그럼에도 나는 여기서 끝낸다. 신체 유형에 관한 단편을 한두 가지 더 이야기하고 싶지만, 내 시간이 다 되었다는 느낌이 너무 강하다. 또 지금은 일곱시 이십 분 전인데, 아홉시에는 수업이 있다. 삼십 분 동안 잠을 잔 뒤 면도를 하고, 또 필요하면 피가 맑아지는 차가운 물에 잠깐 들어가 앉았다 나오면 시간이 딱 맞다. 케임브리지나 하노버나 뉴헤이번에서 멋진 주말을 보내고 막 돌아와 307호실에서 나를 기다리고 있을 스물네 명가량의 젊은 숙녀들에 대하여 뭔가 가볍게 빈정대는 말이라도 하고 싶은 충동—고맙게도 이것은 충동이라기보다는 오래된 도시적인 반사작용에 더 가깝다—을 느끼지만 선한 것, 진짜인 것을 의식하지 않으면 시모어에 대한 묘사—심지어 나쁜 묘사, 심지어 그와 함께 주인공으로 등장하고 싶은 나의 에고, 나의 영원한 욕망이 사방에 널려 있는 묘사조차

---

* 셰익스피어의 『햄릿』에 나오는 인물.

끝낼 수가 없다. 이것은 말로 하기에는 너무 거창한 것이지만(그래서 내가 이 이야기를 들려주는 사람이 된 것이지만), 내가 나의 형의 동생인 데는 다 이유가 있는 것이며, 나는 내 일 중에 그 끔찍한 307호실로 들어가는 것보다 더 중요한 것은 단 한 가지도 없다는 것을 잘―늘은 아니지만 그래도 알고는 있다. 그 아이들은 저 '가공할 제이블 양'을 포함해서 다들 부 부나 프래니와 마찬가지로 내 누이나 다름없다. 그들은 잘못된 정보 때문에 빛을 발하고 있는 세대인지도 모르지만, 어쨌든 빛을 발한다. 내가 지금 진정으로 가고 싶은 곳이 다름아닌 307호실이라는 것, 이 생각에 결국 나는 아찔해진다. 시모어는 우리가 평생 하는 일이 결국 '거룩한 땅'의 어느 작은 곳에서 그 다음의 작은 곳으로 옮겨가는 것이라고 말한 적이 있다. 그는 절대 틀리지 않는 것일까?

이제 자러 가자. 빨리. 빨리 그리고 천천히.

지은이 **제롬 데이비드 샐린저(1919~2010)**
작품으로 『호밀밭의 파수꾼』(1951) 『아홉 가지 이야기』(1953) 『프래니와 주이』(1961) 『목
수들아, 대들보를 높이 올려라』(1963)가 있다.

옮긴이 **정영목**
서울대 영문과를 졸업하고, 동대학원을 수료했다. 전문번역가로 활동하며, 현재 이화여대
통번역대학원 겸임교수로 재직중이다. 옮긴 책으로 『책도둑』 『메신저』 『통조림공장 골목』
『에브리맨』 『파인만에게 길을 묻다』 『눈에 대한 스밀라의 감각』 『눈먼 자들의 도시』 『서재
결혼시키기』 『왜 나는 너를 사랑하는가』 『여행의 기술』 『불안』 『동물원에 가기』 『사자의
꿀』 『눈뜬 자들의 도시』 『신들은 바다로 떠났다』 『석류나무 그늘 아래』 『맛』 등이 있다.
『로드』로 제3회 유영번역상을 수상했다.

문학동네 세계문학
목수들아, 대들보를 높이 올려라

1판 1쇄 2004년 6월 29일 | 1판 3쇄 2010년 2월 10일

지은이 제롬 데이비드 샐린저 | 옮긴이 정영목 | 펴낸이 강병선
책임편집 최정수 박여영 | 디자인 박진범 이원경 | 저작권 김미정 한문숙
마케팅 정민호 이지현 김도윤 | 온라인 마케팅 이상혁 한민아
제작 안정숙 서동관 김애진 | 제작처 한영문화사(인쇄) 우진제책사(제본)

펴낸곳 (주)문학동네
출판등록 1993년 10월 22일 제406-2003-000045호
주소 413-756 경기도 파주시 교하읍 문발리 파주출판도시 513-8
전자우편 editor@munhak.com | 대표전화 031) 955-8888 | 팩스 031) 955-8855
문의전화 031) 955-3576(마케팅) 031) 955-8859(편집)
문학동네카페 http://cafe.naver.com/mhdn

ISBN 89-8281-759-X 03840

www.munhak.com